LES ESSAIS

A quoi sert la notion de « Structure »?

Essai sur la signification de la notion de structure dans les sciences humaines

par Raymond Boudon

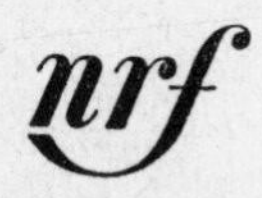

GALLIMARD

INDIANA
UNIVERSITY
LIBRARY
SOUTH BEND

... la notion de structure ne relève pas d'une définition inductive, fondée sur la comparaison et l'abstraction des éléments communs à toutes les acceptions du terme tel qu'il est généralement employé. Ou le terme de structure sociale n'a pas de sens, ou ce sens même a déjà une structure.

Claude Lévi-Strauss, *Anthropologie structurale*, chap. xv : « La notion de structure en ethnologie », p. 305.

AVANT-PROPOS

En France, le structuralisme est aujourd'hui une panacée. De la linguistique, il est passé à l'anthropologie. De là, il n'a cessé de se répandre, du moins si l'on en croit la rumeur publique (car, pour affirmer qu'il se répand, il faudrait encore savoir ce qu'il est). Il a, paraît-il, atteint la philosophie. Selon l'éditorialiste d'un récent numéro de L'Arc, *il serait même devenu la philosophie dominante:* « *1945, 1960: pour mesurer le chemin parcouru entre ces deux dates, il suffit d'ouvrir un journal ou une revue et de lire quelques critiques de livres.* » *Quelle mutation profonde y observera-t-on? Celle-ci:* « *On ne parle plus de "conscience" ou de "sujet", mais de "règles", de "codes", de "systèmes" (...); on n'est plus* existentialiste, *mais* structuraliste. »

Il est vrai qu'il ne se passe plus de jour sans que philosophes, critiques littéraires, psychanalystes et autres se jettent ou se voient jeter le structuralisme à la tête. Naguère, Le Nouvel Observateur *rappelait le malheureux destin du psychanalyste Jacques Lacan:* « *L'image du grand Shaman de l'idéologie contemporaine en France se dessinait, entourée des fumées délétères de la haine et de l'adoration; des chapelles se constituaient; des complices se reconnais-*

saient à des tics stylistiques (...). » Le résultat : voici Lacan taxé de servir la technocratie, sous couleur de structuralisme : « La moindre des sottises, à ce propos, n'est certes pas la fabrication de cette école dite "structuraliste", qui serait l'expression rusée et néo-positiviste (...) du pouvoir technocratique, dont Lacan... »

Étendant son terrain d'action, le structuralisme vient même de descendre dans l'arène politique, non seulement à Paris, mais dans nos paisibles villes de province. A Bordeaux, où nous rédigeons cet avant-propos, un membre influent d'un important parti politique vient de donner une conférence sur le thème « marxisme et structuralisme ». Il y démontrait l'incompatibilité entre structuralisme et humanisme, et en concluait que le parti structuraliste faisait le jeu des Chinois contre les Soviétiques.

Jusqu'ici, les excès structuralistes paraissent cependant géographiquement limités. En Allemagne, en Grande-Bretagne, aux États-Unis, il ne semble pas, ni qu'il soit devenu la philosophie à la mode ni qu'il guide les choix politiques. Il est confiné dans d'austères revues scientifiques. Le mot structure y apparaît, bien sûr, un peu partout et à tout propos. Mais nous ne sommes pas encore au temps où le structuro-fonctionnalisme de Parsons se vendrait dans les bibliothèques de gare et envahirait les rubriques de Time.

Mais qu'est-ce que le structuralisme et que signifie au juste la notion de structure?

*A un extrême, chez un linguiste comme Chomsky ou un anthropologue comme Lévi-Strauss, il est associé à des découvertes dont l'importance scientifique n'est plus à démontrer. A l'autre extrême, dans certains textes de Barthes par exemple, il est conçu comme une sorte de fluide. En effet, il ne serait autre que la manière d'être, que l'*habitus *de « l'homme structural » :*

« L'homme structural prend le réel, le décompose, puis le recompose. » Si ces opérations sont effectuées par un homme du commun, il n'en sortira pas grand-chose. Si elles sont confiées à un « homme structural », « il se produit du nouveau, et ce nouveau n'est rien moins que l'intelligible en général : le simulacre (entendez : la structure), c'est l'intellect ajouté à l'objet, et cette addition a une valeur anthropologique, en ceci qu'elle est l'homme même, son histoire, sa situation, sa liberté et la résistance même que la nature oppose à son esprit[1] ». Bref, le structuralisme est le pouvoir, donné à quelques-uns, de sortir de la caverne pour y contempler les structures.

Nous nous sommes efforcé, pour notre part, de nous éloigner des « fumées délétères de l'adoration et de la haine » et d'éviter les « chapelles ». La question à laquelle nous avons cherché à répondre est celle de la signification de la notion de structure. Que veut-on dire, qu'a-t-on dans l'esprit quand on parle de structure? Pourquoi cette vogue du mot « structure »? Pourquoi aussi cette confusion et ces « fumées » qui l'entourent?

Plus précisément, nous nous sommes donné pour tâche d'analyser et d'expliquer un certain nombre de faits associés à l'usage du mot structure dans les sciences humaines.

Citons d'abord, parmi ces faits, une contradiction généralement ressentie : d'une part, tout le monde s'accorde à associer à la notion de structure des notions comme « système de relations », « dépendance des parties par rapport au tout », « totalité », etc. L'existence de ces associations montre que la notion de structure possède bien, au moins à un niveau général, une signification claire et qu'on pourrait en donner une définition susceptible d'entraîner le consensus. Cependant, si le « structuralisme » consiste seulement à reconnaître dans une langue, une société ou une *personnalité un système de relations ou une totalité dont les éléments ne peuvent être analysés sans référence à cette totalité, on se demande comment une idée aussi banale a pu provoquer une révolution scientifique et fonder une nouvelle mystique.*

Bref, comment la notion de structure, si elle n'est à peu de chose près qu'un synonyme des notions de totalité, de système, d'interdépendance-des-parties-d'un-ensemble, peut-elle rencontrer le succès qu'on lui connaît?

Un autre fait incontestable et remarquable est le caractère polysémique de la même notion: peu de personnes contesteraient qu'elle revêt autant de significations différentes qu'il est d'auteurs pour l'employer. Le consensus *dont nous parlons plus haut se dissout donc de lui-même dès qu'on abandonne le terrain de la plus extrême généralité.*

Mais comment justifier, dans ce cas, l'existence d'un terme unique?

Dans ce qui suit, nous prendrons ces faits pour acquis. Nous admettrons donc que la notion de structure évoque normalement un certain nombre d'associations et d'oppositions telles que (structure-système de relations), (structure-dépendance des parties par rapport au tout), (structure/caractéristiques apparentes), (structure/agrégat).

Nous admettrons aussi que les usages du mot structure sont fréquemment homonymiques. Mais nous reconnaîtrons en même temps que la signification de la notion de structure ne peut être cernée par l'ensemble de ses associations et oppositions.

Ces faits apparemment contradictoires étant reconnus, la question à laquelle nous tenterons de répondre est la suivante: existe-t-il une définition de la notion de structure qui puisse les expliquer?

Bordeaux, 20 janvier 1967.

CHAPITRE PREMIER

POLYSÉMIE DU TERME STRUCTURE

Parmi les concepts clés des sciences humaines, le concept de structure est sans doute un des plus obscurs. On peut en juger par le nombre des travaux de discussion et de réflexion qui lui sont consacrés depuis dix ans[1]. S'il s'agissait d'une notion dépourvue d'équivoque, on ne prendrait sans doute pas tant de peine à la définir. Mais il est superflu de recourir à cette preuve indirecte. L'apparition du mot structure ne laisse-t-elle pas, dans certains contextes au moins, un sentiment de malaise? On se demande, lorsqu'on considère les différences de connotation qui caractérisent l'emploi du terme d'un auteur à l'autre, s'il recouvre une signification unique, s'il existe effectivement une méthode ou — tout au moins — une orientation méthodologique qui mérite d'être qualifiée de « structuraliste », et si les travaux remarquables de certains « structuralistes » ne sont pas, pour parodier une expression employée par Leibniz à propos de la géométrie analytique de Descartes, « un effet de leur génie plutôt que de leur méthode ».

Les travaux consacrés à l'analyse de la notion de structure, qu'ils soient individuels ou collectifs, font pour la plupart état de ces difficultés. D'un côté, on s'accorde à reconnaître l'importance fondamentale pour les sciences humaines de la notion de structure. De l'autre, on en reconnaît immanquablement le caractère polysémique. La conjonction de ces deux propositions ne peut manquer de provoquer un sentiment de malaise. Car, comment peut-on vanter les mérites d'un concept ou d'une méthode dont le moins qu'on puisse dire est qu'on n'en voit pas nettement l'identité?

Le fait qu'en dépit de son caractère polysémique, la notion de structure soit, de l'avis général, associée à un certain nombre d'autres notions, à partir desquelles on la définit généralement, ajoute encore à l'incertitude. Qui dit structure veut dire système, cohérence, totalité, dépendance des parties par rapport au tout, système de relations, totalité non réductible à la somme de ses parties, etc.

D'où vient donc le sentiment de malaise dont nous parlons plus haut? Ne peut-on définir la notion de structure à partir de ces associations, qui ont le mérite de réunir l'unanimité? C'est ce que fait Piaget (48) lorsqu'il énonce : « Il y a structure (sous son aspect le plus général) quand les éléments sont réunis en une totalité présentant certaines propriétés en tant que totalité et quand les propriétés des éléments dépendent, entièrement ou partiellement, de ces caractères de la totalité » (p. 34). Un autre exemple de définition de la notion de structure à partir de ses associations est dû à Flament (15) : « Une structure est un ensemble d'éléments entre lesquels existent des relations, et tel que toute modification d'un élément ou d'une relation entraîne une modification des autres éléments ou relations » (p. 417).

La définition proposée par Piaget ne semble pas avoir satisfait même son auteur, puisqu'il devait avouer, quelques années après (49), que la définition de la notion de structure pose des « problèmes assez effrayants » et que le sens de ce terme « demeure le plus souvent imprécis » (p. 7). Remarque d'autant plus importante qu'elle provient d'un auteur dont l'éminence des contributions à l'analyse des structures psychologiques est mondialement admise.

Quoi qu'il en soit, les deux définitions que nous venons de citer peuvent, si on les considère sommairement, être considérées comme équivalentes. Elles ne diffèrent que par des nuances et reposent toutes deux sur une assimilation de la notion de structure à ses associations. On peut affirmer, sans chercher à multiplier les exemples, que la plupart des définitions générales de la notion de structure qu'on pourrait recueillir leur seraient comparables.

La difficulté ne réside donc pas dans le fait qu'on ne puisse établir une définition entraînant l'assentiment général. Elle provient plutôt de ce qu'une définition de cette sorte conduit à une notion si pauvre et si banale qu'elle ne peut guère expliquer les mutations scientifiques que représentent, par exemple, l'anthropologie ou la linguistique structurale. En outre, si on peut définir la notion de structure à partir d'associations synonymiques telles que « système de relations », « ensemble d'éléments non réductibles à leur somme », etc., pourquoi recourir à un terme plus obscur? Surtout, comment expliquer le fait, d'ordre à la fois linguistique et épistémologique, que l'emploi de ce mot apparaisse comme indispensable, non seulement au linguiste et à l'anthropologue, mais au sociologue, au psychologue ou à l'économiste?

Nécessité de renoncer à une définition inductive de la notion de structure.

Nous nous proposons de montrer que les difficultés et contradictions qu'on vient de souligner peuvent être résolues par un changement de perspective méthodologique, dont la nécessité est énoncée par Lévi-Strauss (30) : « ... la notion de structure ne relève pas d'une définition inductive, fondée sur la comparaison et l'abstraction des éléments communs à toutes les acceptions du terme tel qu'il est généralement employé. Ou le terme de structure sociale n'a pas de sens, ou ce sens même a déjà une structure. C'est cette notion de structure qu'il faut d'abord saisir... » (p. 305).

Que la notion de structure ne puisse faire l'objet d'une définition inductive, au sens que Lévi-Strauss donne à ce mot, voilà qui semble évident. Lorsqu'un concept est supporté par une réalité objective, comme le concept de « chien », cher à Kant, on peut sans doute chercher à le définir par la comparaison et l'abstraction des éléments communs aux objets qu'il désigne. Dans notre exemple, le concept de chien serait défini par la comparaison et l'abstraction des éléments communs à tous les chiens particuliers. Mais le concept de « structure »? Manifestement, la comparaison et l'abstraction travailleraient ici sur des documents de seconde main et ne pourraient guère utiliser d'autre matériau que les définitions de la notion de structure proposées par tel ou tel auteur dans telle ou telle discipline. Car, s'il existe des chiens empiriques indépendamment des définitions qu'on peut donner du concept de chien, il n'en va pas de même des « structures », qui n'*existent* qu'à partir du moment où elles ont été définies. Une analyse des définitions de la notion de structure proposée par les économistes, les sociologues, les psychologues peut donc renseigner sur ces définitions, mais non produire, par la comparaison et l'abstraction de leurs éléments communs, une définition de *la* notion de structure. Les éléments communs de ces définitions ne sont du reste pas bien difficiles à découvrir : ce sont les associations et oppositions dont nous parlons plus haut. Il semble donc incontestable que les techniques classiques de la définition, définitions par le genre proche et la différence spécifique, ou plus généralement définitions inductives au sens de Lévi-Strauss, doivent être d'un faible secours pour découvrir la signification de la notion de structure.

Si l'inadéquation d'une définition de type inductif est parfaitement claire, on ne voit pas aussi aisément ce que Lévi-Strauss veut dire lorsqu'il énonce : « Ou le terme de structure sociale n'a pas de sens, ou ce sens même a une structure. » Qu'est-ce que la structure du sens du terme structure?

Peut-être comprendrons-nous mieux cette formule lapidaire si nous nous rappelons, d'une part, que Lévi-Strauss reconnaît publiquement sa dette envers la phonologie structurale et, d'autre part, que le problème essentiel de la phonologie — au moins jusqu'à une époque récente — a été précisément de rechercher une *définition* des phonèmes d'une langue. Bref : la phonologie contient une théorie de la définition et c'est cette théorie que Lévi-Strauss propose d'appliquer à la notion de structure.

Prenons l'exemple du son qu'on transcrit, en français, par le symbole *r*. Nous avons tous conscience que ce son a une identité. Pourtant, si on essaie, comme le fait la phonétique classique, de décrire cette entité de manière inductive, en exprimant les éléments communs aux réalisations possibles du son *r*, on se heurte immédiatement à une difficulté que la phonétique n'a jamais réussi à surmonter. En effet, ces réalisations varient considérablement d'un sujet à l'autre et, chez un même sujet, d'un contexte à l'autre. Pourtant, l'expérience courante confirme qu'une série de sons signifiante est correctement identifiée, même si la prononciation est extrêmement défectueuse. Voilà donc une entité, (*r*), qu'il est impossible de ramener sans arbitraire à une somme d'éléments communs — eu égard à la diversité de ses réalisations — et dont l'identité est cependant évidente. En d'autres termes, toute définition *inductive* de (*r*) échoue à rendre compte de l'identité de ce phonème, identité qu'il est pourtant impossible de nier.

Si on analyse les difficultés présentées par la définition de la notion de structure, on remarque que l'épistémologue qui tente de formuler cette définition est dans une situation voisine de celle où se trouve le phonéticien. D'une part, on ne peut échapper à l'impression d'une identité de la notion de structure. Mais on ne peut manquer non plus de noter la variété de ses réalisations. Le terme revêt des sens différents en économie et en sociologie. La notion de « structure sociale » n'est visiblement pas la même chez Parsons et chez Lévi-Strauss. Chez Lévi-Strauss lui-même, il n'est pas sûr que le terme structure ait le même sens dans *Les Structures élémentaires de la parenté* et dans *Le Cru et le cuit*. Le concept d' « analyse structurale » diffère au minimum, de l'un de ces textes à l'autre, par la nature logique de l'instrumentation à laquelle il est associé.

Dans les deux situations, un sentiment puissant d'identité est donc contredit par les différences incontestables qui séparent les réalisations, qu'il s'agisse des réalisations de l'entité (r) ou de la notion de structure. Pour résumer cet état de choses, nous dirons, paraphrasant une suggestion de R. Pagès (45), que la notion de structure est une collection d'homonymes.

On sait, et nous aurons à revenir en détail sur ce point, que la solution proposée par la phonologie structurale aux difficultés de la phonétique classique a consisté à montrer qu'il fallait considérer une entité comme (r), non *de l'intérieur*, mais *de l'extérieur ;* non à partir de ses propriétés *intrinsèques*, mais à partir de ses *relations* avec le contexte. Plus précisément, alors que la phonétique tente d'identifier ou de définir les phonèmes à partir de leurs réalisations, l'hypothèse fondamentale de la phonologie est qu'ils doivent être identifiés par les contextes dans lesquels ils apparaissent. Bref, l'identification d'un phonème n'est possible que si on considère ses *relations* avec les autres entités qu'on peut discerner dans une langue : (a), (b), (p), etc.

Nous reviendrons sur la nature de ces relations. A ce point, il importe seulement de comprendre qu'à partir du moment où des entités telles que (a), (b), (p), etc., sont identifiées par les relations qu'elles entretiennent entre elles, on peut fort bien imaginer une langue dont toutes les unités seraient différentes de l'ensemble (a), (b), (p), etc., et qui serait indistincte de la langue dont les unités sont définies par cet ensemble. Il suffirait pour cela que le système des relations entre (a), (b), (p), etc., soit le même que celui qui gouvernerait les unités (a'), (b'), (p'), etc., de la seconde langue. On pourrait alors établir l'équation $(p) = (p')$, même si, du point de vue phonateur ou acoustique, les réalisations de (p) étaient très différentes des réalisations de (p').

Inversement, on imagine fort bien qu'on puisse tenir $(p)_A$ comme différent de $(p)_B$, si une entité « unique » d'un point de vue acoustique et phonateur apparaît dans deux langues A et B, de telle manière que le système des relations entre (p) et les autres unités soit différent dans la langue A et dans la langue B.

Reconnaissons que l'application de la notion d'isomorphisme que nous proposons ici a quelque chose de forcé. Si nous l'introduisons, c'est afin de dégager une nouvelle analogie entre les problèmes de définition des phonèmes et les problèmes posés par la définition de la notion de structure. Plus haut, nous avons vu qu'une entité comme (r) donnait lieu à des réalisations différentes. Ici, nous voyons qu'une même réalisation peut correspondre à des entités distinctes, selon qu'on la considère dans une langue A ou dans une langue B. Transposant cette idée au problème qui nous intéresse, nous nous demanderons si des notions apparemment synonymiques de la notion de structure : *pattern*, « système de relations », « totalité non réductible à la somme de ses parties », *Aufbau*, *Gefüge*, « système cohérent », etc., ne sont pas avec la notion de structure dans une relation analogue à celle que $(p)_A$ entretient avec $(p)_B$. Considérées de l'intérieur, les entités $(p)_A$ et $(p)_B$ sont indistinctes, comme « structure » et, par exemple, « système de relations ». Considérées de l'extérieur, elles sont distinctes. Nous verrons qu'il en va effectivement de même si on oppose, de l'extérieur, la notion de structure à ses associations synonymiques. En d'autres termes, nous montrerons que, si la notion de structure évoque nécessairement les associations (structure-*pattern*), (structure-système de relations), etc., elle est pourtant fondamentalement distincte de ces termes. Le rapport entre « structure » et, par exemple, « système de relations » est le même — pour reprendre un exemple dû à André Martinet — que le rapport entre le mot persan *bad* et le mot anglais *bad.* Les deux mots se prononcent exactement de la même façon : ils sont indistincts par leurs propriétés *intrinsèques.* Pourtant, il existe entre eux une différence de taille : c'est que l'un est persan et l'autre anglais. Mais cette différence ne peut être décelée que par le contexte. Il en va de même avec la notion qui nous intéresse ici : par son *contenu,* elle est d'une certaine manière indistincte de ses *associations.* Il en va tout autrement si on tient compte des *contextes* dans lesquels elle apparaît. Bref, plutôt que d'analyser le contenu de la notion de *structure* — contenu assez banal et pauvre — il faut analyser le rôle de cette notion dans les contextes qui la contiennent.

Comme nous le disions précédemment, les phénomènes de *synonymie* et d'*homonymie* liés à l'usage de la notion de structure engendrent un sentiment de contradiction. Dans le second cas, la contradiction est entre l'identité de la notion de structure et la variété de ses réalisations. Dans le premier cas, elle est entre l'impossibilité de définir inductivement la notion de structure sans recourir à ses associations synonymiques et l'impression d'échec ressentie lorsqu'on la ramène à ces associations. L'échec est même à ce point évident que, lorsque, comme Lévy (33) ou Viet (57), on tente d'utiliser une définition « inductive » de la notion de structure, on aboutit à une dissolution intégrale de ce qui constitue la nature propre de cette notion. Il est impossible de distinguer entre les « méthodes structuralistes » dont traitent ces auteurs et ce qu'on pourrait, plus simplement, appeler les « méthodes » des sciences humaines. Malgré un effort d'information et d'analyse considérable, ni l'un ni l'autre ne parviennent à découvrir sous la notion de structure beaucoup plus que les associations familières (structure-totalité), (structure-système de relations), etc. Ce résultat n'est guère surprenant, le *contenu* de la notion de structure se réduisant à ces associations.

Nous montrerons que le sentiment de contradiction provoqué par le caractère *polysémique* de la notion de structure (nous résumons par cette expression la remarque selon laquelle la notion de structure est une collection d'homonymes appartenant à une collection d'associations synonymiques) peut être aisément expliqué si on opère un changement de perspective analogue à celui qui caractérise la mutation de la phonétique classique en phonologie structurale. En d'autres termes, il s'agit, là où les définitions inductives de la notion de structure ont échoué à mettre sa signification en évidence, de tenter une définition qui la considérerait, non plus de l'intérieur, mais de l'extérieur.

Bref, il s'agit, non de déterminer les éléments communs à toutes les définitions du mot structure qui ont pu être proposées — une telle démarche ne saurait nous conduire beaucoup plus loin que les définitions de Piaget ou de Flament, citées plus haut —, mais d'analyser la fonction de la notion de structure dans le langage scientifique des auteurs qui l'emploient. De même, un phonème ne peut être défini que par la fonction de distinction qu'il exerce dans une langue donnée.

Bien qu'il soit important, pour orienter l'analyse en même temps que pour expliciter le texte de Lévi-Strauss cité plus haut, de souligner l'analogie entre les problèmes de la phonologie structurale et le problème qui nous occupe ici, nous hésiterons cependant à parler d' « analyse structurale » de la notion de structure. Pour deux raisons. La première est qu'une telle expression introduirait dans l'exposé une sorte de cercle vicieux. La seconde et la plus importante est que l'idée d'une définition « structurale » appliquée à un terme du langage scientifique est si naturelle que nous utilisons spontanément ce type de définition comme M. Jourdain faisait de la prose : sans le savoir.

Non-pertinence d'une définition de type inductif.

Considérons, par exemple, la notion d'*hypothèse.* Pour en dégager la signification, on pourrait songer — mais qui le ferait? — à recourir à la méthode inductive : accumuler les hypothèses particulières et tenter de dégager leurs éléments communs. On remarquerait alors qu'elles indiquent une hésitation de la pensée, une affirmation tenue pour douteuse ou provisoire. On dégagerait ainsi les « associations synonymiques » de la notion d'hypothèse — (hypothèse-proposition douteuse), (hypothèse-proposition provisoire), etc. —, qui joueraient le rôle des associations (structure-totalité), (structure-système de relations), etc., dans le cas de la notion de structure, et on tenterait de la définir à partir de ces associations.

L'efficacité d'une telle méthode serait évidemment mince. Pourtant, elle ne conduirait pas à des résultats absurdes. Il est bien vrai qu'émettre une hypothèse, c'est se trouver en un état de doute, de croyance, d'affirmation suspensive. Mais définir la notion d'hypothèse de cette manière, *de l'intérieur*, serait s'interdire de comprendre ce qui distingue cette notion de ses associations synonymiques.

L'autre méthode, appliquée par les manuels de

philosophie à l'usage des classes, consiste à se donner simultanément la notion d'hypothèse et les notions de preuve ou de vérification, c'est-à-dire à considérer la première *de l'extérieur*, dans son rapport avec les autres termes du langage avec lesquels elle apparaît nécessairement.

De même, une définition structurale de l'entité (*r*) n'est possible que parce que (*r*) apparaît nécessairement dans un contexte : aucun être, dans l'usage normal de la langue française, n'a jamais tenu un discours se ramenant à (*r*). De même, on n'a jamais émis d'hypothèse sans avoir ne fût-ce que l'intention de la vérifier.

L'exemple, à certains égards ridicule à force d'évidence — nous le concédons volontiers —, que nous venons de proposer a l'avantage de préciser la tâche fondamentale d'une analyse de la notion de structure. Faire de l'analyse structurale à propos de la notion d'hypothèse — au sens de M. Jourdain — c'est d'abord et avant tout analyser la fonction de cette notion dans les contextes dans lesquels elle apparaît.

Ouvrons ici une parenthèse. On peut se demander, en effet, pourquoi une démarche, qui apparaît comme si naturelle dans le cas d'une notion comme celle d'*hypothèse*, a été rarement ressentie comme nécessaire dans le cas de la notion qui nous occupe. Nous ne croyons pas nous avancer indûment en disant que Lévi-Strauss est un des rares auteurs qui en aient clairement exprimé la nécessité.

Remarquons, sans prétendre nous livrer à une analyse historique, que le caractère banal d'une définition structurale appliquée à un terme du langage scientifique n'apparaît souvent que rétrospectivement.

L'examen de nombreux termes du langage des

sciences montre, en effet, que la définition structurale d'une notion peut suivre sa définition inductive à de nombreuses décennies ou même à quelques siècles de distance. Ainsi, la querelle de Leibniz contre Descartes à propos des « forces vives » ne nous paraît aujourd'hui comme oiseuse que parce qu'on prétendait accéder à une nature des forces vives indépendante de leur rôle dans un système de calcul. Il en va de même de la notion d'*axiome.* Il n'y a pas si longtemps encore qu'on s'acharnait à définir cette notion à partir des notions synonymiques d'*invérifiabilité*, d'*évidence première* etc., jusqu'à ce qu'on attribue enfin l'importance qu'elle méritait à la banalité selon laquelle un raisonnement déductif suppose nécessairement un ensemble de propositions non démontrées. Sans doute un *axiome* est-il, si on considère ses propriétés intrinsèques, une proposition invérifiable. D'où on a conclu pendant des siècles que certaines propositions devaient être placées au point de départ d'un raisonnement *parce qu'elles* étaient *invérifiables* ou *intuitivement* vraies. Mais les difficultés épistémologiques soulevées par le concept d'axiome n'ont été éliminées que du jour où on a compris qu'un axiome était — non une proposition placée au début du raisonnement en vertu de son invérifiabilité — mais une proposition que sa place dans le raisonnement rendait nécessairement invérifiable. Ainsi se trouvaient aplanies les difficultés soulevées par la notion d'évidence et la contradiction résultant du fait qu'une même proposition peut être posée comme proposition première dans un contexte particulier et faire l'objet d'une démonstration dans un autre contexte.

Formellement, cette révolution épistémologique a bien consisté à substituer une définition *extrinsèque* à une définition *intrinsèque* de la notion d'axiome.

Les définitions intrinsèques identifiaient cette notion par une propriété obscure : celle d'*évidence*. Les définitions extrinsèques énoncent seulement qu'une proposition axiomatique est *première*, non au sens où elle serait plus évidente ou plus fondamentale, mais au sens où elle conditionne l'apparition des propositions qui en sont déduites. On pourrait de la même façon montrer que les discussions relatives à la notion de *cause* mettent toujours en jeu l'opposition entre une définition interne et une définition externe de cette notion. Comme dans le cas de la notion d'axiome, les difficultés épistémologiques que soulève la notion de cause s'évanouissent lorsqu'on passe du premier au second type de définition.

Remarquons au passage que toutes ces définitions *internes* — qu'il s'agisse de la notion d'axiome, de la notion de cause ou de la notion de structure — ont la propriété d'utiliser des *definientia* plus obscurs que le défini : la notion d'évidence est au moins aussi obscure que la notion d'axiome (lorsqu'elle est définie par ses propriétés intrinsèques). Les notions de « système de relations », de « totalité non réductible à la somme de ses parties » ne sont pas plus claires que la notion de structure (lorsqu'elle est définie par ses propriétés intrinsèques).

Mais, malgré les avantages évidents des définitions externes, l'histoire montre qu'elles ne sont pas acceptées sans de grandes résistances.

En outre, si la méthode que nous proposons pour rendre compte de la notion de structure dans les sciences humaines peut être aisément décrite dans son principe, il n'en résulte pas que son application soit elle-même aisée. Nous n'avons aucune peine à voir que la notion d'hypothèse apparaît nécessairement dans un contexte qui comporte aussi le terme de vérification ou, plus exactement — si on considère le cas des sciences expérimentales —, de falsification[2]. Mais la notion de structure?

Les critères d'une définition non inductive de la notion de structure.

Ces remarques nous conduisent à la question suivante : par quels moyens juger de la validité d'une analyse de la notion de structure menée selon les perspectives définies?

La réponse est simple : il faut que cette analyse soit une *théorie*, expliquant de manière aussi satisfaisante que possible les faits d'ordre épistémologique et linguistique dont nous parlons plus haut. Ainsi, une analyse convenable devrait expliquer à la fois que la notion de structure entraîne l'évocation des associations (structure-cohérence), (structure-totalité non réductible à la somme de ses parties), (structure-système de relations), etc., des oppositions (structure / caractères apparents), (structure /agrégat), etc., et que, dans de très nombreux contextes, elle soit irréductible à ces associations et oppositions. De même, elle devrait expliquer l'existence d'une collection d'associations homonymiques. Elle devrait donc permettre de mieux comprendre pourquoi on parle des « paramètres structurels » d'un modèle économétrique, de la « description structurelle d'une phrase », au sens de Miller (41) ou de Chomsky (8, 9), des « structures de la parenté » au sens de Lévi-Strauss (31), de la « structure des rôles sociaux » au sens de Parsons (47) ou de Nadel (44), de la « structure phonologique » d'une langue, au sens, par exemple, de Harris (21) ou de Jakobson (22), ou encore de la « structure des systèmes politiques » au sens de R. Aron (1).

La même analyse devrait encore expliquer la diffusion à la fois récente et rapide du concept de structure dans le langage des sciences humaines.

Devant de telles questions, seuls deux types de théories sont, à notre sens, possibles. La première est illustrée par un passage de Kroeber (25) cité par Lévi-Strauss (30) : « La notion de "structure" n'est probablement rien d'autre qu'une concession à la mode : un terme au sens bien défini exerce tout à coup un singulier attrait pendant une dizaine d'années — ainsi le mot "aérodynamique" — on se met à l'employer à tort et à travers parce qu'il sonne agréablement à l'oreille (...). N'importe quoi — à condition de n'être pas complètement amorphe — possède une structure. Aussi semble-t-il que le terme de « structure » n'ajoute absolument rien à ce que nous avons dans l'esprit quand nous l'employons, sinon un agréable piquant » (p. 304).

Sans doute. Mais encore faut-il expliquer que la mode ait pris. On n'appliquerait pas le terme de structure à un objet qui ne le mérite pas si cet objet ne présentait un certain degré de ressemblance avec une structure (le lecteur voudra nous pardonner le langage extrêmement vague que nous sommes contraint d'employer à ce stade de l'exposé). De même, on peut sans doute expliquer par un défaut d'attention le fait que j'ai compris :

« Gal, amant de la reine... »

là où

« galamment de l'arène... »

a été prononcé. Mais l'explication est incomplète si on ne note pas aussi la ressemblance des deux segments sonores. Il en va de même dans le cas du terme de structure. Sans doute semble-t-il qu'il n'y ait pas grand-chose de commun entre la notion de « structure des rôles sociaux » au sens de Nadel et la notion de « structure de la parenté » au sens de Lévi-Strauss, sinon que rôles sociaux et règles de la parenté sont des systèmes différenciés ou, comme dirait Kroeber, non « complètement amorphes ». Mais l' « agréable piquant » dégagé par le mot structure est-il une explication suffisante de son emploi?

Même si on admet l'existence de phénomènes de mode — phénomènes dont nous sommes, pour notre part, tout prêt à reconnaître l'influence — il n'en demeure pas moins qu'il s'agit là d'une explication partielle. Il est impossible que le mot structure ait pris dans le langage des sciences humaines l'extension qu'on lui connaît, s'il ne désigne pas un trait fondamental de ce langage. Que des auteurs de second plan enregistrent des succès de librairie en offrant un « structuralisme » assez mal défini n'explique pas la vogue de la notion de structure. C'est plutôt l'importance réelle de la notion de structure qui explique les succès de librairie.

La seconde théorie, celle que nous proposerons ici, permet au contraire de démontrer que, en dépit des phénomènes d'homonymie qui caractérisent l'emploi de la notion de structure, cette notion possède incontestablement une identité, qu'elle trahit une mutation dans le langage des sciences et qu'elle est, dans la plupart des cas, aussi éloignée de ses associations synonymiques que la notion d'hypothèse l'est des notions de « proposition douteuse » ou « d'affirmation provisoire ». Ce qui sépare la notion d'hypothèse de ses associations synonymiques n'est rien d'autre — dans le cas des sciences expérimentales — que le langage expérimental lui-même, qui ne date guère que de Galilée. De même, ce qui distingue la notion de structure de ses associations synonymiques, n'est rien de moins que ce qu'on peut appeler le « langage scientifique de la théorie des systèmes », en prenant le mot « scientifique » au sens précis que lui donne Popper[3].

La notion de système.

Nous terminerons ce chapitre par quelques brèves considérations sur la notion de *système.*

Le succès considérable de la physique galiléenne et sa fécondité, contrastant avec la stérilité de la physique aristotélicienne, ont laissé croire pendant des siècles à l'universalité du modèle mécaniste employé par Galilée. En accord avec ces faits, une épistémologie un peu simple s'est mise à prévaloir, selon laquelle les explications téléologiques devaient être rejetées du côté de la métaphysique, pour ne conserver du côté de la science que les explications mécanistes.

Le résultat de cet état de choses est qu'un grand nombre d'objets se trouvaient exclus d'un traitement scientifique. Ainsi, on ne voyait pas comment analyser les phénomènes d'équilibre ou d'équilibration qu'on observe dans des systèmes comme les marchés, les organismes, les personnalités, sans recourir aux explications téléologiques que la physique galiléenne avait bannies, manifestement avec raison.

Aujourd'hui, cette épistémologie est morte; l'analyse mathématique des phénomènes d'équilibre économique montre, par exemple, qu'on peut expliquer les tendances à l'équilibration ou à la rééquilibration qui caractérisent un système économique en exprimant de façon convenable les désirs et les actes des agents économiques qui le composent. Ainsi, bien que ces actes élémentaires *paraissent* orientés vers la réalisation d'un certain état du système, il n'est pas nécessaire de postuler que cet état soit effectivement recherché. Il en va de même dans la théorie biologique de l'homéostasie : depuis Cannon et Sherrington, on sait analyser les processus par lesquels l'organisme réalise son équilibre sans recourir à des principes d'ordre téléologique. En linguistique, on ne se contente plus de recueillir les règles de grammaire, d'enregistrer et d'expliquer l'évolution historique de telle ou telle règle ou de tel phénomène : on sait maintenant analyser une langue comme un système d'éléments interdépendants dont la finalité est d'assurer correctement la transmission des messages. Ici encore, la finalité est réintroduite dans l'analyse scientifique, puisque ce qu'on cherche en fin de compte à expliquer, c'est l'aptitude d'une langue à constituer un *système* de signes permettant de transmettre sans ambiguïté n'importe quel message. Mais cette finalité est *expliquée* et non *explicative.*

La plupart des révolutions ou innovations enregistrées par les sciences humaines dans les dernières décennies ont été caractérisées, dans leur essence, par la découverte de méthodes permettant d'analyser les systèmes en tant que systèmes. Cela est vrai de la théorie freudienne de la personnalité, de la linguistique et de l'anthropologie modernes, aussi bien que de l'économie mathématique, sans parler naturellement de disciplines comme la cybernétique et de la *théorie des systèmes*, dont l'objet même est la notion de système. Nous avons déjà fait allusion à la linguistique structurale dont l'innovation principale est de tenter une théorie de la cohérence des éléments sonores ou des règles grammaticales qu'on observe dans un langage naturel. On pourrait également citer l'exemple de l'anthropologie : la révolution apportée par Lévi-Strauss dans l'analyse des règles de parenté a consisté à montrer que ces règles constituent un système d'éléments cohérents, loin d'être, comme le croyaient les anciens ethnographes, des règles plus ou moins arbitraires produites par une somme de contingences.

L'hypothèse que nous chercherons à défendre est que le succès croissant de la notion de structure est lié à l'ensemble des mutations scientifiques par lesquelles diverses disciplines ont réussi à construire des théories vérifiables permettant d'expliquer l'interdépendance des éléments constitutifs de leurs objets.

En économie, cette mutation ne date guère que de Walras et Pareto — peut-être de Cournot; en linguistique, de Saussure. En biologie, on avait naturellement compris de tout temps que les vivants étaient des systèmes, c'est-à-dire des totalités non réductibles à la somme de leurs parties. D'où l'introduction par Aristote de la célèbre notion de *cause finale.* Pourtant, la biologie expérimentale abordait son objet, à la fin du dix-neuvième siècle encore, en lui appliquant un modèle mécaniste : les expériences de Claude Bernard sur le vivant tendent toujours à mettre en évidence des suites de causes et d'effets. En réaction contre cette biologie mécaniste, on a vu alors se développer une théorie métaphysique : le *vitalisme.* Naturellement, le vitalisme n'a pas fait avancer la connaissance des phénomènes vitaux d'un iota et il n'est intéressant pour l'histoire des sciences que dans la mesure où il signale l'incapacité de la biologie du dix-neuvième siècle à traiter les organismes en tant qu'organismes, c'est-à-dire en tant que systèmes. De sorte qu'à la fin du dix-neuvième siècle, la réflexion biologique disposait de théories scientifiques mais mécanistes et de théories téléologiques mais métaphysiques. Il a fallu attendre le vingtième siècle pour assister à la création d'instruments permettant d'analyser de façon scientifique la finalité à laquelle les vivants paraissent obéir : ce fut d'abord la théorie de l'homéostasie, déjà mentionnée, puis des outils mathématiques nouveaux, comme la cybernétique, qui permirent d'exprimer les phénomènes de régulation et d'équilibration caractéristiques des systèmes vivants. A partir de ce moment, le biologiste fut en mesure d'analyser un organisme en tant qu'organisme (en tant que système) à l'aide de théories vérifiables.

Dans d'autres disciplines, comme la sociologie, l'obsession d'une théorie des systèmes est ancienne, puisqu'elle remonte au moins à Montesquieu (ne dirions-nous pas aujourd'hui *structure*, là où Montesquieu parlait d'*esprit* des lois[4]). Cependant il n'est pas sûr — si on fait abstraction de certaines parties de la sociologie, microsociologie et, plus généralement, psychologie sociale — que cette discipline ait réussi à produire des théories vérifiables des systèmes sociaux. On comprend alors que la notion de structure, bien qu'elle traduise une *intention* scientifique commune à l'ensemble des « sciences humaines », apparaisse avec des résonances diverses selon les contextes.

Telle est la thèse que nous nous efforcerons de démontrer dans les pages qui suivent. Pour cela, nous préférerons procéder par l'analyse minutieuse d'un certain nombre d'exemples typiques, plutôt que de nous livrer à un survol nécessairement superficiel et incomplet des usages de la notion de structure dans les sciences humaines.

CHAPITRE II

LES DEUX TYPES DE CONTEXTES DE LA NOTION DE STRUCTURE LES DÉFINITIONS INTENTIONNELLES

Les équivoques attachées à la notion de structure tiennent, pour une bonne part, à ce que le mot structure apparaît dans deux types de contextes fondamentalement différents.

Dans un premier type de contextes, le mot structure est employé soit pour souligner le caractère systématique d'un objet — pour indiquer, en d'autres termes, qu'on a affaire à un ensemble de caractères interdépendants — soit pour souligner qu'une méthode a pour effet de décrire un objet comme un système. Dans ce cas, la notion n'apparaît donc pas à proprement parler dans le cadre d'une théorie des systèmes. Nous dirons alors, pour fixer le langage, qu'elle apparaît dans le contexte d'une *définition intentionnelle.* Bien que ce type d'usage soit proche de l'usage vulgaire du mot structure, il importe de s'y arrêter : d'une part, il est indispensable qu'une analyse de la notion de structure rende compte de toutes les fonctions assumées par cette notion. En outre, certaines confusions attachées à la notion de structure proviennent de ce qu'on néglige de considérer la distinction que nous introduisons ici.

Le deuxième type de contextes est caractérisé par le fait que la notion de structure y est insérée dans une théorie destinée à rendre compte du caractère systématique d'un objet. Nous dirons dans ce cas que le mot structure apparaît dans le contexte d'une *définition effective.*

Il est une autre manière — plus simple peut-être — de décrire la distinction précédente. En effet, dans le cas d'une définition de type intentionnel, ce qu'on cherche à préciser, c'est la signification de la notion de structure. Dans le cas d'une définition effective, il s'agit plutôt de déterminer la structure d'un objet donné. En conséquence, l'intérêt n'est pas, dans ce second cas, centré sur la notion de structure elle-même, bien que le fait d'analyser la *structure* d'un objet implique qu'on prête une certaine signification à la notion de structure. Pour éclairer cette nouvelle distinction, rappelons-nous, par exemple, la définition de Piaget : « Il y a structure (sous son aspect le plus général) quand les éléments sont réunis en une totalité présentant certaines propriétés en tant que totalité et quand les propriétés des éléments dépendent, entièrement ou partiellement, de ces caractères de la totalité. » Le seul effet d'une telle définition est de nous informer de ce que Piaget — et beaucoup d'autres par sa voix — entendent lorsqu'ils prononcent le mot « structure ». En d'autres termes, l'objet qui sert de point de départ à la réflexion est ici la notion de structure elle-même. On peut même dire qu'une telle définition, si elle nous éclaire sur le contenu de la notion de structure, ne nous est d'aucun secours lorsqu'il s'agit de déterminer la structure d'un objet particulier. En revanche, lorsque Lévi-Strauss décrit les « structures élémentaires de la parenté », la définition de la notion de structure ne fait que résulter indirectement de l'analyse d'un matériau particulier. Ici, ce qui constitue le cœur de l'analyse, ce n'est pas la notion de structure elle-même, mais les données relatives aux systèmes de parenté. Naturellement, il résulte aussi de cet emploi du mot structure — comme nous le disions — une certaine définition implicite du terme structure, définition qui en justifie l'emploi. Mais l'important est que l'objet n'est pas ici de dégager la signification de la notion de structure en elle-même.

Nous consacrerons le présent chapitre à l'analyse des fonctions de la notion de structure dans le contexte des définitions intentionnelles.

La distinction entre les deux types de contextes.

La distinction que nous venons de présenter demanderait — nous l'avouons volontiers — à être présentée en termes plus généraux. Mais plutôt que de tenter une définition rigoureuse des deux types de contextes, il est préférable d'apprendre à les distinguer à partir d'exemples précis.

Commençons donc par un cas très simple, que nous emprunterons à la sociologie : celui de l'opposition entre *groupes structurés* et *groupes non structurés*, telle qu'elle est introduite par Gurvitch (19). Sans suivre cet auteur dans le détail de ses considérations, relevons seulement le passage suivant, qui résume convenablement la distinction : « Dans un groupe *non structuré*, ne possédant ni hiérarchies multiples, ni équilibre précaire entre elles, ni conscience nette de celles-ci, ni armature pour la soutenir, les rapports avec les autres groupes et avec la société globale restent flous » (p. 36; c'est nous qui soulignons). Par opposition, les groupes structurés, ou, dans le langage de Gurvitch, les « structures partielles » sont des groupes qui possèdent des « hiérarchies multiples », un « équilibre précaire entre elles », etc.

Si on se demande quelle est la fonction du mot structure dans un contexte comme celui-là, on voit qu'il ne sert à rien de plus qu'à opposer deux sortes de groupes : d'une part, des groupes ou groupements caractérisés par une certaine stabilité des relations entre les individus qui les composent, par une différenciation et une hiérarchisation des sous-groupes et des individus; d'autre part, des groupes caractérisés au contraire par une labilité des relations entre membres et sous-groupes (négligeons les considérations de Gurvitch relatives à la conscience de groupe). Dans ce cas, le mot structure n'a donc d'autre fonction que celle de rappeler que certains groupements constituent des systèmes d'individus dont les rapports sont stables, ou relativement plus stables que dans les groupes « non structurés ». Le mécanisme mental qui conduit Gurvitch à utiliser le terme de structure pour désigner la distinction est donc à peu près le suivant : on constate que les relations entre des « collections » d'individus peuvent être de types différents. A un extrême, on trouve, par exemple, les « collections » d'individus représentées par les personnes d'une même classe d'âge ou les consommateurs d'un certain produit. Quelquefois, ces « groupes » se comportent comme des « groupes réels » : on y distingue des hiérarchies relativement stables, des desseins collectifs, etc. Les consommateurs peuvent se liguer pour manifester leur mécontentement, se sentir rapprochés par la consommation du produit; les adolescents peuvent adopter des comportements de groupes spécifiques. Mais ces « collections » représentent, le plus souvent, de simples catégories abstraites. A l'autre extrême, si on considère, par exemple, l'ensemble des individus réunis dans une même entreprise, il est clair qu'on observera des « hiérarchisations multiples » et relativement stables entre ces individus. Entre ces deux extrêmes, un nombre indéfini de cas intermédiaires peuvent être imaginés.

On ne saurait évidemment émettre le moindre doute sur la réalité et l'utilité de ces distinctions. Mais l'important pour notre propos est de voir que, ces distinctions une fois acquises, il n'y a aucune nécessité à les exprimer à l'aide du mot « structure ». Si on l'utilise dans ce cas, c'est simplement qu'il est commode. Dans son acception commune, « structure » évoque normalement les associations (structure-système de relations), (structure-totalité), etc. Or, il se trouve que les groupements décrits par Gurvitch comme « structurés » évoquent aussi ces associations : si un groupe est caractérisé de manière perma nente par un système de relations autoritaires et que le chef de ce groupe soit éliminé, l'*ensemble* du système de relations risque de s'en trouver affecté. Un tel groupe évoque donc l'image d'un système d'éléments interdépendants.

En d'autres termes, si le mot structure est utilisé dans ce type de contexte, c'est que l'objet qu'on cherche à décrire évoque les mêmes associations que le mot structure lui-même. Nous dirons dans ce cas que la signification de la notion de structure *se réduit à celle de ses associations synonymiques.*

S'il en est bien ainsi, il n'y a pas nécessité, mais seulement commodité — répétons-le — à employer le mot structure. On pourrait nommer le même objet à l'aide d'autres termes et parler, par exemple, d'organisation ou de différenciation plutôt que de structure. De toute manière, il est dénué de sens de se demander si un groupe structuré *est* effectivement un groupe qui possède des hiérarchies multiples, un équilibre entre ces hiérarchies, etc., car c'est seulement par convention qu'on associe à un groupe défini par ces caractères le terme de structure. En exprimant ce corollaire de façon plus brutale, on peut dire qu'il est absurde de se demander quelle est la bonne définition d'une notion comme celle de « structure sociale » : je peux fort bien choisir d'appeler structure ce que d'autres appellent organisation. Pourvu que nous soyons d'accord sur les distinctions que nous introduisons par ces termes, il ne saurait y avoir aucun inconvénient à employer un terme plutôt que l'autre. Réciproquement, le terme structure n'est pas attaché nécessairement à une signification particulière plutôt qu'à une autre.

Les mêmes remarques vaudraient, pour prendre un exemple dans des disciplines différentes, de l'emploi du mot structure tel qu'on le trouve chez Goldstein (17) dans l'expression *structure de l'organisme* (traduction de *Aufbau des Organismus*) ou chez Merleau-Ponty (39) dans des expressions comme « structure du comportement », « structure d'une situation », etc.

Lorsque l'un ou l'autre de ces auteurs reproche à l'associationnisme ou aux explications mécanistes des phénomènes vitaux de ne pas considérer les organismes, les comportements ou les situations comme des structures, ils n'indiquent rien de plus par là que la nécessité de considérer ces entités comme des totalités non réductibles à la somme de leurs parties, comme des systèmes d'éléments interdépendants ou comme des systèmes de relations. Bref, la signification du mot structure est — ici encore — réduite à celle de ses associations synonymiques. Nous aurions beau lire et relire *Aufbau des Organismus* ou *La structure du comportement*, nous n'y trouverions pas une définition plus précise de la notion de structure. Ainsi, Merleau-Ponty (39) justifie la notion de situation-structure en se référant à une expérience de Ruger où « un sujet entraîné à exécuter sur chaque pièce tour à tour, mais dans l'ordre systématique, toutes les opérations nécessaires pour composer un puzzle métallique, se comporte lorsqu'il est mis en présence du puzzle entier comme s'il n'en avait aucune pratique ». En conséquence, l'emploi de la notion de structure est lié à l'observation selon laquelle « l'apprentissage acquis à l'égard d'une partie de la situation ne l'est pas à l'égard de cette même partie insérée dans un tout nouveau » (p. 113).

Chez Goldstein (17), la démonstration de l'idée d'organisme-structure est appuyée sur des observations comme la suivante : examinant des malades atteints d'une lésion d'une des calcarines (terminaisons corticales des voies optiques), il constate qu'une lésion partielle n'entraîne pas de réorganisation générale du champ visuel; en particulier, la zone d'acuité maximum continue de correspondre, comme chez l'homme normal, aux images qui se projettent sur la *macula*. En revanche, lorsqu'une des calcarines est complètement détruite et rend ainsi aveugle une moitié de chaque rétine, une réorganisation générale a lieu : « Le point du monde extérieur qui lui (au malade) paraît le plus distinct n'est pas celui qui forme son image sur le bord de la rétine intacte, donc à l'endroit de l'ancienne *macula*, mais un point qui forme son image à l'intérieur de la rétine intacte » (p. 44).

Il est clair que de telles observations sont d'un grand intérêt. Mais cet intérêt vient de leur contenu et non de ce qu'elles apportent la preuve qu'organismes, situations ou comportements sont des structures. Elles prouvent seulement que les éléments de ces entités sont — ce qu'on savait depuis longtemps — interdépendants, que l'organisme est une totalité, que ce tout est plus que la somme de ses parties. Bref, l'emploi du mot structure correspond, dans ce cas comme dans le précédent, à la simple attestation d'une association synonymique. Qui dit structure veut dire : totalité non réductible à la somme de ses parties.

Bien qu'en leur époque les livres de Merleau-Ponty et la traduction française de *Aufbau des Organismus* aient pu passer pour des révélations, on n'y trouve donc nullement une théorie de l'organisme ou du comportement comme systèmes, mais seulement une collection d'observations, en elles-mêmes passionnantes. Sans doute ces observations montrent-elles que l'organisme réagit comme une totalité et qu'un comportement ne peut être compris que dans son ensemble. Mais qui pourrait douter de telles banalités?

On commet, à notre avis une grande erreur lorsque, cherchant à dégager la signification de la notion de structure dans les sciences humaines, on aligne sur un même plan des travaux comme ceux de Merleau-Ponty et Goldstein, d'une part, et ceux de Lévi-Strauss ou de Chomsky, d'autre part. Dans le premier cas, la notion de structure apparaît dans le contexte d'une définition intentionnelle. Elle sert seulement à marquer qu'un objet est identifié comme un système. Dans le second cas, on a affaire à une définition effective : l'objet-système est analysé par une théorie comparable aux théories qu'on rencontre dans les sciences de la nature. La structure de l'objet n'est alors autre que la description qui résulte de cette théorie. La notion de structure joue donc un rôle fondamentalement différent dans les deux types de contextes. Si fondamentalement différent qu'il paraît réduire à néant toute tentative de définition commune. Inversement, la confusion des réflexions sur la notion de structure vient généralement de ce qu'on néglige de faire cette distinction.

Bien que l'analyse de la notion de structure dans le contexte de ce que nous appelons les définitions *effectives* fasse l'objet de nos deux derniers chapitres, nous donnerons un exemple du deuxième type de contextes, afin de tracer la limite entre les deux types de contextes.

Imaginons qu'on ait administré une série d'épreuves psychométriques à une population et qu'on ait obtenu la matrice de corrélation suivante entre les scores à cinq épreuves :

MATRICE DE CORRÉLATION FICTIVE
ENTRE CINQ ÉPREUVES PSYCHOMÉTRIQUES

Épreuves	1	2	3	4	5
1	»	0,24	0,32	0,24	0,08
2	0,24	»	0,48	0,36	0,12
3	0,32	0,48	»	0,48	0,16
4	0,24	0,36	0,48	»	0,12
5	0,08	0,12	0,16	0,12	»

Si on examine cette matrice superficiellement, on y voit, par exemple, que la relation entre la réussite aux épreuves 2 et 3 est élevée, tandis qu'elle est faible en ce qui concerne les épreuves 1 et 5. Tant qu'on perçoit cette matrice comme un ensemble de résultats empiriques, qu'il suffit d'enregistrer comme tels, on n'éprouve aucune gêne à l'idée que la corrélation entre les deux épreuves 1 et 2, par exemple, ait pu être, non 0,24, mais, disons, 0,37. Mais, si on y regarde de plus près, on constate que cette matrice est, non un *agrégat* de résultats indépendants, mais un système d'éléments interdépendants. En effet, les relations entre ces éléments obéissent — comme nous le verrons dans un instant — à une loi très stricte.

Plus précisément, on dira qu'une telle matrice est munie d'une structure de Spearman (54). Sans être averti des techniques de l'analyse factorielle [1], il est aisé de constater que cette matrice présente un certain nombre de régularités. En effet, si on compare les éléments appartenant respectivement à la première et à la deuxième colonne dans chacune des lignes où la comparaison est possible, à savoir les lignes 3, 4 et 5, on remarque que le premier est au second dans un rapport constant : $r_{13}/r_{23} = r_{14}/r_{24} = r_{15}/r_{25} = 2/3$. On peut vérifier que cette propriété est générale. Elle est vraie de tous les couples de colonnes qu'on peut considérer : colonnes 1 et 2, 1 et 3, 1 et 4, 1 et 5, 2 et 3, 2 et 4, 2 et 5, 3 et 4, 3 et 5, 4 et 5.

Si, ayant découvert cette propriété arithmétique de la matrice de corrélations, on dit qu'elle a une structure bien définie ou qu'on emploie toute expression analogue, on use du terme structure dans le contexte d'une définition intentionnelle. En effet, on veut seulement dire par cette expression que le tableau arithmétique qu'on a sous les yeux présente des régularités et qu'on ne peut modifier un des éléments sans modifier l'ensemble, puisqu'on détruirait alors la propriété générale qu'on vient d'observer. En revanche, on pourrait modifier la totalité des éléments sans modifier la structure. Il suffirait pour cela de choisir ces éléments de telle manière que la propriété générale énoncée plus haut soit conservée. Lorsqu'on décrit cette matrice comme une *structure*, lorsqu'on dit qu'elle a une structure, on emploie des expressions qui ont strictement le même sens que les concepts de *forme* ou de *Gestalt* utilisés en psychologie.

Tant qu'on ne dit pas davantage, le mot structure ne revêt pas une signification différente de celle qu'il avait dans les contextes analysés plus haut : la matrice « est une structure », « a une structure » dans la mesure où ses éléments sont liés entre eux par des relations bien déterminées et où ils dépendent d'une propriété générale qui caractérise l'ensemble des éléments en tant qu'ensemble. L'emploi du mot structure n'accomplit donc pas d'autre office que de renvoyer aux associations synonymiques familières : (structure-totalité) ou (structure-dépendance des éléments par rapport à la totalité).

Il en va tout autrement dès qu'on se demande pourquoi une matrice de corrélation associée à une série d'épreuves psychométriques peut avoir une structure comme celle-là (bien qu'il soit exceptionnel de rencontrer dans la pratique des matrices obéissant de façon aussi stricte que celle de l'exemple présent à la propriété décrite, il n'est pas rare de trouver des cas où elle est approximativement satisfaite). Bref, il s'agit de construire une théorie de l'objet-système représenté par la matrice.

La théorie associée par Spearman à ce type de résultats est suffisamment connue pour qu'il suffise de la rappeler d'un mot. Supposons que les résultats obtenus par un sujet à une épreuve quelconque dépendent d'un facteur ou d'une aptitude systématiquement mise en jeu par les épreuves proposées. En d'autres termes, on fait l'hypothèse que le degré de réussite de chaque sujet à chaque épreuve dépend d'une aptitude générale que chacun de ces sujets possède à des degrés divers. Cette hypothèse ne fait que traduire de manière abstraite une opération que nous faisons fréquemment dans la vie courante : quand nous disons de Pierre qu'il *est* lourd, rusé, subtil, nous voulons dire par là que chaque fois qu'il est placé devant un certain type d'épreuve, il va avoir tendance à réagir d'une certaine façon, à se montrer en général plus lourd ou plus rusé ou plus subtil que Paul. De même, lorsqu'on place un ensemble de sujets devant une série d'épreuves psychométriques, certains vont les réussir mieux que d'autres. En d'autres termes, le degré de réussite à une épreuve va permettre de prédire les résultats à une seconde épreuve, avec une marge d'erreur dépendant de l'homogénéité des épreuves. Si on reprend l'exemple de la page 43, on voit que les épreuves 3 et 4 sont proches l'une de l'autre, car la corrélation entre la réussite à ces épreuves est élevée ; en revanche, la corrélation entre les scores aux épreuves 2 et 5 est faible, indiquant que ces épreuves sont plus « éloignées » l'une de l'autre que les épreuves 3 et 4. L'hypothèse de Spearman est que, lorsqu'on observe une « structure » des corrélations analogue à celle de notre exemple, cela signifie que les épreuves mettent toutes en jeu une certaine aptitude fondamentale, mais à des degrés divers.

Pour fixer les idées en reprenant l'interprétation de Spearman lui-même, supposons que cette aptitude soit l'*intelligence* et que la réussite aux épreuves proposées dépende de cette aptitude générale. En désignant par z_{ij} le score de l'individu i à l'épreuve j, et par F_i le score, évidemment inconnu, de l'individu i sur cette aptitude générale, l'hypothèse revient à faire de z_{ij} une fonction de F_i. D'autre part, il est clair que la réussite à une épreuve ne peut être conçue comme dépendant seulement d'une aptitude systématiquement mise en jeu. Certaines tâches vont étonner, lasser ou stimuler, de façon imprévisible, tel ou tel sujet. Pour traduire cette hypothèse, on admettra que z_{ij} est une fonction, non seulement de F_i, mais de facteurs spécifiques e_{ij} dont l'effet est supposé varier, comme l'indique le double indice, avec l'épreuve et avec le sujet considérés.

Il reste alors à choisir une forme déterminée pour la fonction liant z_{ij} à F_i et e_{ij}. Comme il est raisonnable de choisir la fonction la plus simple possible, on admettra que la liaison est linéaire. On écrira donc :

$$z_{ij} = a_j F_i + e_{ij}.$$

Le coefficient a_j pondère l'importance de l'aptitude F dans la réussite à la tâche j. On suppose donc que, selon les épreuves, ce coefficient de pondération va être plus ou moins élevé. Si on interprète F comme l'intelligence et que a_2 soit, par exemple, plus grand que a_3, cela signifie que l'intelligence rentre pour une plus grande part dans la réussite à l'épreuve 2, tandis que la réussite à l'épreuve 3 est due dans une plus large mesure aux facteurs spécifiques e.

On fait ensuite certaines conventions sur la manière dont les quantités z et F sont mesurées. Comme il est raisonnable d'admettre qu'un score à une épreuve ou une mesure d'aptitude ne peuvent avoir d'origine naturelle, on peut choisir de manière arbitraire l'origine de ces mesures. Il est commode d'utiliser comme origine la moyenne des scores. A supposer, par exemple, que cette moyenne générale soit de

13 à une épreuve j, on modifiera la note d'un sujet qui aurait obtenu 15 en soustrayant 13 de cette note. La nouvelle note de ce sujet sera donc 2. Naturellement, si on fait la moyenne de ces notes modifiées, on la trouvera égale à zéro. Notre convention de mesure implique donc, si z_{1j}, z_{2j}, ..., z_{nj} sont les notes mesurées à partir de la moyenne des sujets n° 1, 2, ..., n à l'épreuve j :

$$z_{1j} + z_{2j} + \ldots + z_{nj} = 0,$$

expression qu'on écrira encore, de manière plus compacte, en utilisant le symbole de sommation $\sum$, sous la forme :

$$\sum_i z_{ij} = 0.$$

En ce qui concerne les quantités F_i, qui sont les mesures hypothétiques d'intelligence postulées par la théorie, on ne peut naturellement les observer directement. Cependant, rien ne nous interdit de supposer qu'elles sont également mesurées à partir de leur moyenne. En conséquence, si F_1 est l'*intelligence* du sujet n° 1, F_2 l'intelligence du sujet n° 2 et ainsi de suite jusqu'au sujet n, nous supposerons que :

$$F_1 + F_2 + \ldots + F_n = 0.$$

De nouveau, nous résumerons cette expression par le symbolisme plus compact :

$$\sum F_i = 0.$$

De même que nous avons choisi une origine arbitraire des mesures, de même nous pouvons choisir arbitrairement nos unités de mesure. Sans entrer dans les détails, disons qu'il est commode de choisir comme unité de mesure la moyenne des carrés des scores recueillis par les n individus. On aura donc, si on considère une épreuve quelconque, par exemple, l'épreuve j :

$$\frac{1}{n}(z_{1j}^2 + z_{2j}^2 + \dots + z_{nj}^2) = 1.$$

Si on considère les mesures d'intelligence, on aura de même :

$$\frac{1}{n}(F_1^2 + F_2^2 + \dots F_n^2) = 1.$$

Ces deux dernières expressions peuvent être résumées sous la forme :

$$\frac{1}{n}\sum z_{ij}^2 = \frac{1}{n}\sum F_i^2 = 1.$$

D'autre part, il résulte de la conceptualisation décrite plus haut que les effets des facteurs spécifiques e_j sont indépendants des effets du facteur systématique F, et que les effets des facteurs spécifiques sont indépendants d'une épreuve à l'autre. En conséquence, les corrélations entre F d'une part et chacun des e_j de l'autre doivent être nulles. De même, les corrélations entre un e_j quelconque et chacun des autres doivent être nulles.

Considérons, par exemple, les facteurs spécifiques qui interviennent dans l'exécution des épreuves j et k et admettons qu'on puisse mesurer ces facteurs. Pour fixer les idées, supposons que l'épreuve j, particulièrement fastidieuse, suppose un effort de concentration : e_{ij} sera l'aptitude du sujet i à la concentration. Dans l'épreuve k, ce sera une autre aptitude particulière qui sera requise. L'hypothèse est que les corrélations entre les notes (inconnues) $e_{1j}, e_{2j}, \ldots, e_{nj}$, d'une part, et les notes (inconnues) $e_{1k}, e_{2k}, \ldots, e_{nk}$ de l'autre, sont nulles. Nos conventions de mesure donnant au coefficient de corrélation une forme particulièrement simple, cette hypothèse s'écrit [2] :

$$\frac{1}{n}(e_{1j}e_{1k} + e_{2j}e_{2k} + \ldots\ldots + e_{nj}e_{nk}) = 0.$$

Équation évidemment vérifiée, quelles que soient les deux épreuves j et k considérées. De la même façon, puisqu'on suppose l'intelligence F indépendante des aptitudes particulières e_j mises en jeu au cours de telle ou telle épreuve, on a, en vertu de la définition du coefficient de corrélation :

$$\frac{1}{n}(e_{1j}F_1 + e_{2j}F_2 + \ldots + e_{nj}F_n) = 0.$$

Les équations précédentes peuvent être traduites sous la forme compacte :

$$\frac{1}{n}\sum e_{ij}e_{ik} = \frac{1}{n}\sum e_{ij}F_i = 0 \text{ (pour tout } j).$$

On le voit, ces hypothèses ne font qu'habiller la théorie selon laquelle la réussite différente aux épreuves dépend d'une aptitude fondamentale. Si on les admet, la corrélation r_{jk} entre les scores aux deux épreuves j et k, s'exprime (en utilisant directement les notations compactes) :

$$r_{jk} = \frac{1}{n}\sum_i z_{ij}z_{ik} = \frac{1}{n}\sum_i (a_jF_i + e_{ij})(a_kF_i + e_{ik})$$

$$= \frac{1}{n}\Big(a_ja_k \sum_i F_i^2 + a_j \sum F_i e_{ik} + a_k \sum F_i e_{ij}$$

$$+ \sum_i e_{ij}e_{ik}\Big).$$

Mais, en vertu des hypothèses,

$$\frac{1}{n}\sum_i F_i^2 = 1,$$

et

$$\frac{1}{n}\sum_i F_i e_{ik} = \frac{1}{n}\sum_i F_i e_{ij} = \frac{1}{n}\sum_i e_{ij}e_{ik} = 0.$$

D'où il résulte la seule conséquence qui nous intéresse réellement, car elle explique les propriétés arithmétiques relevées sur la matrice de l'exemple :

$$\boxed{r_{jk} = a_j a_k}$$

Considérons, en effet, deux éléments appartenant à une même ligne de la matrice, soit r_{31} (éléments de la troisième ligne et de la première colonne) et r_{32} (élément de la troisième ligne et de la deuxième colonne). En vertu de l'équation précédente, $r_{31} = a_3a_1$ et $r_{32} = a_3a_2$. En conséquence, les deux éléments sont dans le rapport a_1/a_2. Mais il en va de même si on considère les éléments des autres lignes (appartenant respectivement aux mêmes colonnes). En effet, $r_{41} = a_4a_1$ et $r_{42} = a_4a_2$. Il en va de même des éléments r_{51} et r_{52}. La même propriété est évidemment vérifiée pour tous les couples de colonnes.

Lorsqu'on énonce alors que la matrice de corrélation proposée plus haut a une structure de Spearman, on veut dire que les propriétés arithmétiques apparentes de la matrice peuvent être expliquées par une théorie ou, plus précisément, qu'elles peuvent être exprimées comme des conséquences logiques d'un ensemble de propositions théoriques ou axiomes.

La situation présente est donc logiquement très différente de celle des exemples cités plus haut. Le mot structure n'indique pas ici que l'objet considéré *est* un système et qu'il doit être tenu pour tel. Il indique qu'on a réussi à produire une construction logique permettant de rendre compte des caractéristiques apparentes du système. Alors que, dans les exemples de Gurvitch, Goldstein ou Merleau-Ponty, le mot structure est appliqué à l'objet, il caractérise ici le modèle logique. Ainsi, lorsqu'on dit de la matrice de l'exemple qu'elle est munie d'une structure unifactorielle, on veut dire que les propriétés de cette matrice peuvent être engendrées par une construction dont le caractère principal est qu'elle suppose l'existence d'un facteur ou d'une aptitude systématique unique.

Exprimant la distinction en d'autres termes, on dira que, dans un exemple comme celui de Gurvitch, la signification de la notion de structure se réduit à l'attestation de ses associations synonymiques. Dans un cas comme celui de Spearman, la signification du mot ne peut, en revanche, être comprise sans référence à la construction logique ou à la théorie dont elle est solidaire.

Si donc on se demande pourquoi Gurvitch et Merleau-Ponty emploient le même mot de structure à propos de phénomènes très différents, on doit expliquer ce fait en remarquant que, dans les deux cas, on cherche soit à souligner le caractère systématique d'un objet, soit à exprimer le fait qu'un concept évoque les associations synonymiques du mot structure. En revanche, si on se demande pourquoi Spearman et, par exemple, Lévi-Strauss emploient le même mot à propos de phénomènes différents, on doit chercher la réponse à cette question dans la comparaison entre les constructions logiques associées à la théorie des tests et à l'analyse des structures de la parenté : si le même mot est employé, c'est que les constructions doivent avoir des caractéristiques fondamentales communes. On n'a alors aucune peine à découvrir ce quelque-chose-de-commun : il réside dans ce que la notion de structure apparaît dans le contexte d'une *théorie hypothético-déductive vérifiable appliquée à un système.* La fonction de cette théorie est d'expliquer l'interdépendance des éléments du système ou, en d'autres termes, l'ensemble des relations qui le caractérise.

Remarquons incidemment qu'il ne faudrait pas se hâter de conclure de l'exemple de définition effective que nous donnons plus haut que la notion de structure implique nécessairement dans ce type de contextes celle de *modèle* mathématique. C'est pourquoi nous prenons soin — plus haut — d'éviter le terme de *modèle*, pour nous contenter de l'expression plus vague de *construction logique.* Il est bien vrai qu'on ne peut parler de « structure de Spearman » que par référence à un modèle mathématique. Mais, comme nous aurons l'occasion de le montrer dans le chapitre suivant, le mot structure apparaît souvent dans le contexte d'une définition effective, sans que la théorie hypothético-déductive associée à la description structurelle d'un matériau particulier soit, à proprement parler, un « modèle ».

Avant d'abandonner les définitions *effectives* de la notion de structure jusqu'au chapitre suivant, nous aimerions répondre brièvement à une objection possible.

En effet, on nous opposera peut-être que les exemples de définitions intentionnelles que nous donnons ci-dessus se distinguent surtout de l'exemple de Spearman par leur caractère flou. Nous répondrons à cela que, si les définitions proposées par Gurvitch de la notion de structure ne sont évidemment pas très claires (par quels critères dépourvus d'équivoque décidera-t-on qu'un groupe est *structuré* ou non?), on peut produire des exemples de définitions intentionnelles associés à des critères rigoureux, parfois même à un appareil mathématique. Inversement, comme nous le verrons dans le dernier chapitre notamment, on peut donner de nombreux exemples de définitions qui doivent être classées comme effectives — puisqu'elles sont associées à des théories déductives appliquées à des objets-systèmes — et qui demeurent pourtant dépourvues de rigueur.

Autres exemples où la notion de structure apparaît dans le contexte d'une définition intentionnelle.

Afin de montrer que la notion de structure peut apparaître comme définie sans ambiguïté dans le contexte d'une définition intentionnelle, nous analyserons maintenant deux exemples. Le premier est dû à Blau (4), le second à Lazarsfeld et Menzel (29).

Ces deux exemples proviennent des recherches de méthode qui se sont développées autour de l'utilisation sociologique des techniques de sondage. Au début, dans la phase des sondages dits « atomiques », on se contentait de recueillir auprès de chaque individu interrogé un certain nombre de caractéristiques individuelles, dont on analysait ensuite les relations. Ainsi, dans des sondages électoraux, on analyse couramment les relations entre des variables comme l'âge, le sexe, le revenu, la catégorie socio-professionnelle et le choix politique. D'une certaine manière, ces sondages conduisent, comme le montre une célèbre critique de Blumer (5), à des abstractions, dans la mesure où ils conçoivent les individus comme indépendants du milieu social dans lequel ils sont insérés. C'est pourquoi les sociologues tendent de plus en plus aujourd'hui à utiliser des sondages dits « contextuels » où sont construites non seulement des variables individuelles, mais des variables caractérisant le milieu dans lequel est plongé l'individu. Ce type de sondage reprend une intuition qu'on trouve déjà dans *Le Suicide* de Durkheim. Ainsi, dans les pages analysant la relation entre suicide et divorce, Durkheim remarque que la différence entre le taux de suicide des hommes et des femmes est une fonction de la diffusion du divorce dans la société : à Berlin, en Brandebourg, en Prusse-Orientale, en Saxe, provinces où le divorce est fréquent à l'époque où écrit Durkheim, le nombre des suicides des hommes mariés est au nombre de suicides des femmes mariées dans un rapport voisin de 1,80; il tombe à un peu plus de 1 dans les provinces allemandes où la fréquence des divorces est moyenne et nettement au-dessous de 1 dans les provinces où le divorce est rare. Cette loi est valable, non seulement pour l'Allemagne, mais pour tous les pays dont Durkheim a pu dépouiller les statistiques. Dans le cas de cette analyse, on trouve mises en relation deux variables individuelles (le sexe et le suicide) et une variable collective ou contextuelle (rapport du nombre des divorces au nombre d'individus mariés). Dans tous les cas où on peut construire des variables contextuelles de ce type, on obtient un affinement considérable de l'analyse sociologique, dans la mesure où l'individu n'est plus considéré comme situé dans un milieu social indifférencié. C'est dans ce contexte que Blau introduit la notion d' « effet structurel ».

Pour comprendre la notion d' « effet structurel » telle qu'elle est définie par Blau (4), nous imaginerons donc qu'un sondage nous a permis de définir quatre variables. La première est une variable à deux valeurs X et $\overline{X}$, définie sur les individus d'une population. Chaque individu de la population considérée peut, en d'autres termes, se voir attribuer l'étiquette X ou l'étiquette $\overline{X}$. Une seconde variable à deux valeurs Y et $\overline{Y}$ est définie sur les mêmes individus. En outre, on considère deux variables définies sur des sous-ensembles de cette population générale : la première est la proportion x des individus qui possèdent le caractère X dans chaque sous-ensemble. La seconde, que nous désignerons par y, représente la proportion des individus qui possèdent le caractère Y dans chaque sous-population.

Bien que ces définitions soient purement formelles et correspondent à des situations très fréquemment rencontrées dans l'analyse des sondages sociologiques, il est bon de concrétiser la situation examinée en donnant à ces variables une interprétation particulière. Nous utiliserons donc l'exemple célèbre de la relation entre suicide et religion, analysé par *Le Suicide* de Durkheim. La variable X oppose le caractère X (protestant) au caractère $\overline{X}$ (non-protestant). La variable x est alors définie comme la proportion des protestants dans un ensemble d'unités géographiques données, qu'il s'agisse, comme dans l'exemple durkheimien des provinces prussiennes, des cantons suisses, des départements français ou de tout ensemble d'unités. La variable y représente la proportion des individus qui, dans une unité géographique donnée, ont commis le suicide.

Les variables X et x sont explicatives, ou, comme on dit encore, *indépendantes*. La variable y est la variable à expliquer, ou, comme on dit encore, la variable *dépendante*. La variable Y est une simple variable auxiliaire, qui sert seulement à construire y. En d'autres termes, il s'agit de savoir si la proportion des suicides varie avec la confession religieuse et avec la proportion des individus d'une confession donnée dans un milieu donné.

Ces variables étant définies, plusieurs types d'effets des variables indépendantes sur la variable dépendante peuvent être observés. A certains de ces types, Blau donne le nom d'*effets structurels*. Afin de comprendre la signification de la notion de structure dans ce cas, il est nécessaire de donner une brève idée de la typologie à l'intérieur de laquelle elle apparaît [3].

Les effets qu'on peut théoriquement observer dans la situation décrite sont les suivants (rappelons que ces effets peuvent être observés dans des cas extrêmement divers et que leur application au cas du suicide est seulement destinée à concrétiser leur signification) :

1. *Effet purement individuel.*

On observe un effet purement individuel dans le cas où l'analyse fait apparaître, par exemple, que les protestants se suicident davantage que les non-protestants, sans que le taux de suicide caractéristique de chacune des deux catégories dépende de la proportion des protestants dans le milieu. Si on représente graphiquement cette situation dans l'espace de coordonnées x (proportion des protestants) et y (proportion des suicides), les courbes caractérisant respectivement les protestants et les non-protestants sont des droites parallèles entre elles et parallèles à l'axe des x. Cette situation est représentée à la figure 1*a*.

2. *Effet purement collectif.*

Il correspond au cas, assez paradoxal dans le contexte du présent exemple, mais qu'on peut trouver réalisé dans d'autres situations, où le taux de suicide dépendrait de la caractéristique de milieu (proportion des protestants), sans que les protestants et les non-protestants, dans le même milieu, manifestent des taux de suicide différents. En supposant que la fonction $y = f(x)$ liant la proportion des protestants et le taux de suicide est une fonction linéaire, cette situation est représentée par deux droites confondues non parallèles à l'axe des x (fig. 1 *b*).

3. *Juxtaposition de l'effet individuel et de l'effet collectif.*

Dans ce cas, le taux de suicide est supposé varier, pour les deux catégories d'individus, avec x (proportion des protestants dans le milieu). En outre, le taux de suicide dépend de X. On admettra que, dans tous les cas, les protestants se suicident davantage. Cependant, la variable collective n'affecte pas l'effet individuel. Tout se passe donc comme si les

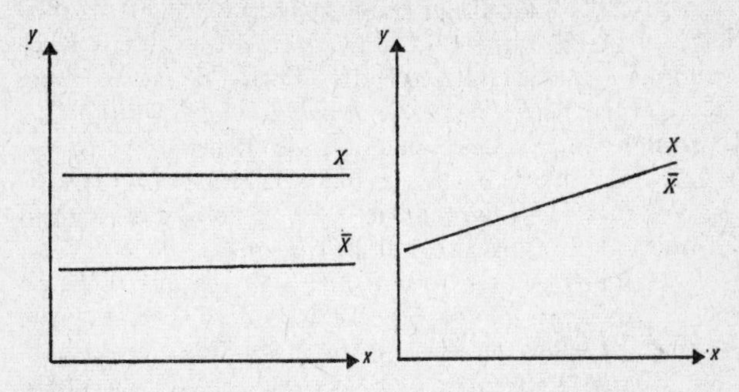

Fig. 1 *a*. — Effet purement individuel.

Fig. 1 *b*. — Effet purement collectif.

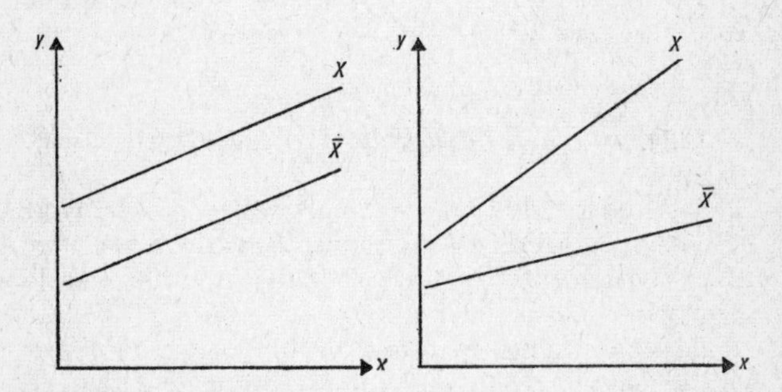

Fig. 1 *c*. — *Juxtaposition* de l'effet individuel et de l'effet collectif.

Fig. 1 *d*. — *Composition* de l'effet individuel et de l'effet collectif.

Fig. 1. — Typologie des effets d'une variable individuelle dichotomique et d'une variable collective continue sur une variable individuelle [d'après Davis (11), (12)].

deux effets s'ajoutaient dans chaque situation possible. Réciproquement, la variable individuelle n'affecte pas l'effet collectif. Cette situation peut être représentée par deux droites non confondues, parallèles entre elles, mais non parallèles à l'axe des x (fig. 1 *c*). Si on mesure l'effet individuel par la distance entre les deux droites, on constate bien qu'il a une valeur constante quelle que soit la valeur de x. En d'autres termes, le fait d'être protestant entraîne une plus grande propension au suicide, quelle que soit la proportion des protestants dans le milieu. De même, l'effet collectif est mesuré par la pente des droites : les droites étant parallèles, les pentes sont égales. En conséquence, l'effet collectif ne dépend pas de la variable individuelle X et l'augmentation du taux de suicide en fonction de l'augmentation du nombre des protestants est la même, qu'on considère les protestants ou les non-protestants.

4. *Composition de l'effet individuel et de l'effet collectif.*

Dans ce cas, le taux de suicide varie avec x, pour les deux catégories d'individus. Il varie aussi avec X. Verbalement : le taux de suicide varie avec la proportion des protestants dans le milieu et avec la confession religieuse. Mais un fait nouveau intervient : la variation de y par rapport à x dépend elle-même de X. Dans le cas linéaire, cette situation est représentée par deux droites non parallèles entre elles (fig. 1 *d*).

C'est aux types d'effets 2, 3 et 4 que Blau donne le nom d' « effets structurels ».

Ce qu'il nous intéresse de comprendre, c'est pourquoi la notion de structure est introduite à propos de ces types d'effets.

Formellement, un effet *structurel* est donc un effet qui trahit l'influence sur le comportement d'un individu d'une propriété qui, sans être elle-même le propre d'aucun individu, caractérise l'ensemble des individus en tant que tel :

« Le principe général est que si le caractère X de l'*ego* affecte non seulement le caractère Y de l'*ego*, mais aussi le caractère Y de l'autre, un effet structurel sera observé. Cela signifie que la distribution de X dans un groupe reste liée à Y, même si le caractère Y de l'individu est maintenu constant. Un tel résultat indique que le réseau des relations dans le groupe par rapport à X influence Y. Il isole les effets de X sur Y qui sont entièrement dus au processus d'interaction sociale » (Blau (4), p. 64).

En d'autres termes, il y a effet structurel dans la mesure où l'effet d'une caractéristique individuelle sur une autre est la somme d'un effet individuel et d'un effet transmis par le groupe, qui caractérise le groupe en tant que tel. Il en résulte que, sachant qu'un individu possède le caractère X, on ne peut pas en déduire grand-chose sur la probabilité pour qu'il possède le caractère Y, car l'effet de X dépend de la caractéristique collective x. Le fait que je sois protestant n'implique pas nécessairement que j'ai une propension plus forte au suicide, comme on le voit en comparant les points A et B de la figure 2. En d'autres termes, on ne peut parler de l'effet individuel de X sur Y que si on contrôle la partie *collective* de l'effet de X sur Y, en comparant par exemple deux groupes caractérisés par une même valeur de x.

L'interdépendance entre la caractéristique individuelle X et la caractéristique collective x est encore plus nette dans le cas de la figure 1 *d*, par rapport auquel les cas des figures 1 *b* et 1 *c* apparaissent comme des cas particuliers.

Dans ce cas, l'effet « structurel » n'est autre qu'un effet d' « interaction », au sens statistique du terme. Autrement dit, l'effet de la variable individuelle explicative X sur la variable individuelle Y dépend

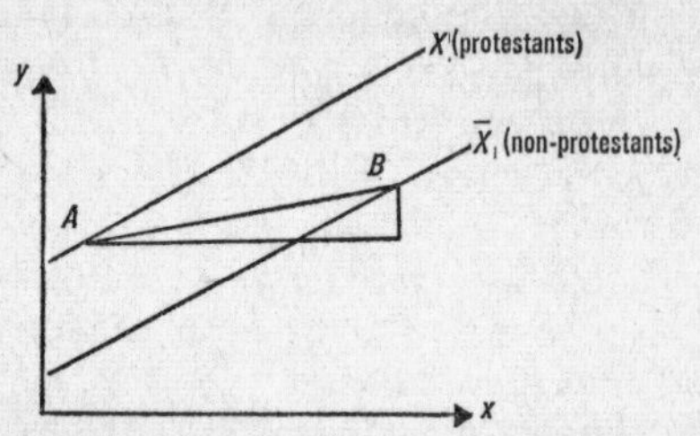

FIG. 2. — ON NE PEUT PARLER DE L'EFFET « INDIVIDUEL » DE X SUR Y QUE SI ON COMPARE DES INDIVIDUS CARACTÉRISÉS PAR LA MÊME VALEUR DE x.

lui-même de la variable collective x. Symétriquement, l'effet de la variable collective x sur la variable individuelle Y qu'on cherche à expliquer dépend lui-même de la variable individuelle explicative X.

Pour concrétiser cette notion, imaginons un cas d'interaction extrême où les droites caractéristiques des deux sous-populations distinguées par la variable individuelle se croiseraient (fig. 3). Dans ce cas, on voit clairement que l'effet de la variable individuelle ne peut être dissocié de l'effet de la variable collective : les protestants ne se suicident davantage que s'ils sont peu nombreux. Symétriquement, l'effet de la proportion des protestants sur le suicide dépend de la confession.

Une autre manière, plus vague, de définir ce type d'effet structurel, serait de dire que, dans ce cas, les effets de la variable individuelle explicative et de la variable collective explicative se *composent* au lieu de se juxtaposer. Mais il faut garder à présent à l'esprit que la distinction entre composition et juxtaposition recouvre, dans ce cas, une distinction formelle définie sans ambiguïté.

En fin de compte, on peut reconstituer le mécanisme mental responsable de la notion d' « effet structurel » de la manière suivante. Le point de départ de Blau et des travaux méthodologiques que nous utilisons ici est une réflexion sur les concepts et procédures du *Suicide* de Durkheim : d'une part, Durkheim introduit sous le titre de « conscience col-

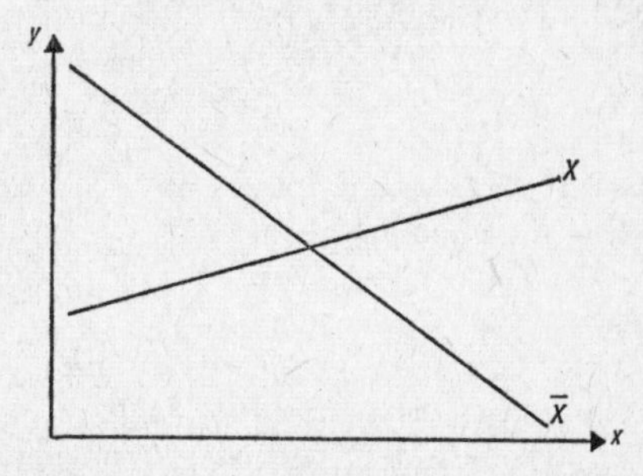

FIG. 3. — EXEMPLE D'INTERACTION : LE SIGNE DE L'EFFET DE CHACUNE DES DEUX VARIABLES EXPLICATIVES DÉPEND DE LA VALEUR DE L'AUTRE VARIABLE.

lective » l'idée obscure d'un déterminisme social transcendant. D'autre part, il produit des tableaux statistiques, auxquels il faut bien se rendre et qui traduisent effectivement des effets collectifs indépendants d'un déterminisme d'ordre individuel. Mais plutôt que de spéculer sur la notion obscure de « conscience collective », le problème est d'analyser les effets statistiques qu'elle recouvre. On note alors l'existence d'effets particulièrement intéressants, correspondant à une juxtaposition et généralement à une *composition* des effets individuels et des effets collectifs. Dans le cas où ils sont observés, il est impossible d'exprimer l'effet d'une variable individuelle explicative sans isoler les effets collectifs qu'elle engendre. Si les deux effets se *composent*, il est même impossible de les exprimer séparément puisque l'effet individuel est une fonction de l'effet collectif, et réciproquement. On comprend donc pourquoi Blau parle d'*effets structurels :* c'est que l'effet individuel de X sur Y n'a de sens que médiatisé par l'influence de la distribution de X, qui caractérise le groupe en tant que tel. Ce type d'effets peut être considéré, en d'autres termes, comme le signe statistique de l'interdépendance des éléments individuels par rapport au tout qu'ils composent. En définitive, c'est donc parce que ces effets évoquent les associations (structure-système de relations), (structure-dépendance des éléments par rapport à la totalité), etc., qu'ils sont appelés *structurels*.

Entendons-nous bien. Il est hors de doute, lorsqu'on compare des expressions comme « effet structurel » (Blau) et, par exemple, « groupe structuré » (Gurvitch), qu'on a affaire à une définition beaucoup plus précise dans le premier cas que dans le second. Autrement dit, on peut déterminer sans ambiguïté si un effet est « structurel » au sens de Blau, tandis qu'on ne peut décider sans hésitation si un groupe est « structuré » au sens de Gurvitch. Mais si on se demande pourquoi Blau propose de parler d'effet « structurel » à propos de l'effet illustré par les figures 1 *b*, 1 *c* et 1 *d* et non à propos de l'effet illustré par la figure 1 *a*, il faut bien admettre qu'il emploie une définition implicite du terme structure. Or cette définition, si elle était explicitée, traduirait seulement l'existence des associations synonymiques familières (structure-système de relations), (structure-dépendance des parties par rapport au tout), etc.

Formellement, la signification de la notion de structure dans ce contexte est donc identique à celle qu'elle revêt dans le cas des exemples de Gurvitch, Goldstein ou Merleau-Ponty, que nous citons plus haut. Le *contexte* est celui d'une définition intentionnelle. La *signification* de la notion de structure se ramène à une attestation de ses associations synonymiques. Son rôle est seulement de désigner un objet comme système.

On peut remarquer, en guise d'épreuve, qu'il n'y aurait aucun inconvénient à remplacer le mot « structurel » par un autre terme. Notons, en effet, que le type d'effet qualifié par Blau de « structurel » a été identifié sous des appellations diverses dans la littérature sociologique. Ainsi, Davis (11, 12) parle d'effets de composition *(compositional effects)* pour désigner les « effets structurels » de Blau. Lazarsfeld (26, 27), pour sa part, parle d' « effets contextuels » pour désigner l'ensemble des effets désignés par les figures 1 *b*, 1 *c* et 1 *d*. Occasionnellement, on trouve aussi chez cet auteur que l'expression « effet structurel » désigne spécifiquement le type d'effet illustré par la figure 1 *d*.

Si on se demande pourquoi le sociologue juge opportun de parler d'effets structurels là où le statisticien parle d'effets *additifs* (fig. 1 *c*) ou d'effets d'*interaction* (fig. 1 *d*), on peut imaginer à cette question une réponse simple. C'est que de tels effets prennent une signification spéciale pour le sociologue. Lorsqu'ils sont observés, cela signifie que le milieu et les caractéristiques individuelles doivent être conçus comme formant un système de déterminants du comportement individuel. Notons, en outre, que ces effets recouvrent en partie la signification de l'expression « structure sociale » telle qu'on la trouve employée dans la tradition sociologique [4].

Examinons encore un autre exemple d'emploi du

mot structure, dont le type est apparenté à celui du cas précédent. Il s'agit de la distinction introduite par Lazarsfeld et Menzel (29) entre variables « structurelles », d'une part, variables « analytiques » et « globales », de l'autre. Cet exemple appartient, comme le précédent, à la littérature méthodologique issue de l'analyse des sondages sociologiques.

Lorsqu'on examine la manière dont une « variable » caractéristique d'un groupe, d'une collectivité, d'une unité territoriale, d'une institution ou de tout autre groupement d'individus, est construite, on remarque que plusieurs types de procédures peuvent être distingués.

Tout d'abord, on peut citer les caractéristiques construites sans référence aux individus membres du « collectif ». Ainsi, si on classe un ensemble de nations en fonction de la part de leur budget consacrée à la défense ou à l'éducation nationale, on aura défini une caractéristique *globale.*

En second lieu, on trouve des caractéristiques collectives construites à partir de propriétés individuelles des membres, comme lorsque Durkheim caractérise les cantons suisses par la proportion de la population de confession protestante, ou lorsqu'on classe un ensemble de sociétés en fonction de l'inégalité de la distribution des revenus. Ces caractéristiques seront dites *analytiques.*

On peut enfin distinguer des caractéristiques auxquelles Lazarsfeld et Menzel donnent le nom de *caractéristiques structurelles.* Ce sont les caractéristiques construites, non à partir des caractéristiques individuelles des membres, mais à partir d'informations relatives aux *relations* entre les membres, comme lorsqu'on classe un ensemble de groupes selon la plus ou moins grande concentration des choix sociométriques qui les caractérise.

Nous ne nous interrogerons ici ni sur l'exhaustivité ni sur l'utilité de cette classification. Tout ce qu'il nous importe de considérer, c'est que, dans ce contexte comme dans le précédent, la notion de structure apparaît comme associée à une définition entièrement dépourvue d'ambiguïté, bien que sa signification soit, de nouveau, réduite à l'attestation d'une association synonymique du mot structure. En effet, si on se demande pourquoi le troisième type de variable est, plutôt que les deux autres, qualifié de « structurel », on doit reconnaître que la raison en est simplement dans le fait que la notion de structure évoque celle de « système de relations ». La matière brute de ces caractéristiques étant constituée par des informations portant sur les relations entre membres d'un collectif, le terme « structurel » est plus facilement évoqué dans ce troisième cas.

Cela dit, il est évident que le terme structure n'est pas plus indispensable dans ce contexte qu'il ne l'est dans le cas des exemples de Blau ou de Gurvitch. Dans tous ces exemples de définitions intentionnelles, où la signification de la notion de structure se réduit à l'attestation de ses associations synonymiques, on peut aisément imaginer des substituts terminologiques, sans qu'il en résulte aucune difficulté pour la compréhension.

Fonctions de la notion de structure dans le contexte des définitions intentionnelles.

Les exemples qui précèdent montrent suffisamment qu'il existe bien un type de contextes dans lequel le terme de structure n'a d'autre signification que de souligner le fait qu'on considère un objet comme un système.

Le plus souvent, le terme de structure apparaît dans ce type de contextes en *opposition* avec d'autres termes. Il indique alors qu'on oppose certaines catégories d'objets ou certaines manières d'appréhender un objet à d'autres, les premières évoquant les associations synonymiques du terme structure, les autres non. Ainsi, on a vu que Lazarsfeld et Menzel opposent caractéristiques *structurelles* et caractéristiques non structurelles (globales ou analytiques), parce que les premières caractérisent un ensemble d'individus comme un système de relations. En effet, lorsqu'on déclare, par exemple, qu'un groupe manifeste l'existence de nombreuses cliques, on énonce une propriété qui caractérise la nature des relations interindividuelles propre au groupe. « Structure » est donc bien équivalent de « système de relations ». De même, Blau oppose effets « structurels » et effets « non structurels » pour souligner que, dans le premier cas, caractéristiques individuelles et caractéristiques collectives se juxtaposent ou se composent en un *système* explicatif du comportement individuel : un effet structurel est celui où l'effet individuel de X sur Y est médiatisé par le groupe. Rappelons encore la distinction introduite par Gurvitch entre groupes structurés et groupes non structurés, et les notions de « structure du comportement », de « structure de la situation », que

Merleau-Ponty oppose aux interprétations mécanistes ou associationnistes. Ici, la perspective *structurelle* s'oppose aux théories qui définissent un comportement comme un montage de réflexes ou apprentissages élémentaires, et une situation comme une somme de stimuli. Une telle perspective est donc structurelle dans l'exacte mesure où elle rappelle que le tout est plus grand que la somme de ses parties, qu'il est *antérieur* aux éléments qui le composent, etc.

On peut donc dire que, dans tous les cas où le terme de structure apparaît dans un contexte oppositionnel de ce type, sa définition est de type *intentionnel*. Sa signification se réduit à l'attestation des associations synonymiques de la notion de structure.

Considérons, pour prendre un autre exemple, l'opposition entre structure et conjoncture. La définition de ces deux termes varie de façon considérable avec les auteurs. Elle donne lieu à d'âpres discussions qui laissent supposer qu'on pourrait décider sans ambiguïté de ce qui, dans un système économique ou social, est conjoncturel et de ce qui est structurel. Mais, si on schématise l'opposition, on peut dire qu'on aura tendance à qualifier de *structurels* les caractères d'un système économique ou social qui manifestent un certain degré de permanence au cours d'une période de longueur fixée, et de *conjoncturels* ceux qui apparaissent comme variables dans la même période. En ce sens, les premiers sont plus fondamentaux que les seconds. Ils caractérisent le système en tant que tel et déterminent les limites de variation des caractères conjoncturels.

On pourrait nous objecter que cette définition est quelque peu cavalière et qu'elle sous-estime les difficultés soulevées par les notions de « structure » et de « conjoncture ». A cela, nous répondrons que le problème que nous posons ici n'est pas de résoudre les difficultés terminologiques des disciplines particulières, mais simplement de dégager la signification de la notion de structure. Dans cette perspective, il serait parfaitement vain, pour déterminer cette signification dans le contexte de l'opposition (structure / conjoncture), de procéder à une analyse des définitions proposées par les économistes ou les sociologues. Si l'analyse était menée avec précision, on trouverait sans doute autant de définitions que d'auteurs, et on devrait conclure — ici comme ailleurs — au caractère irrémédiablement polysémique de la notion. En revanche, on voit se dissiper les confusions et difficultés qui découlent de la polysémie du terme structure dans le contexte de l'opposition (structure / conjoncture), si on admet les deux propositions suivantes. La première est que, quand on observe un système économique ou social, il est souvent utile d'y distinguer des caractéristiques permanentes et des caractéristiques variables (cette distinction étant, bien entendu, relative à la période considérée). L'autre est que cette distinction suggère d'employer le terme de structure pour qualifier les caractéristiques permanentes du système : leur stabilité fait qu'on doit les considérer comme les conditions fondamentales qui contrôlent et limitent le changement et comme des traits caractérisant le système en tant que tel. Si on accepte ces deux propositions, on aura compris à la fois que la distinction soit utile au discours scientifique et que les définitions puissent être variables.

Ce qui serait inexplicable, ce serait, au contraire, que la notion de structure ne soit pas *polysémique* dans ce contexte. En effet, les caractéristiques qu'on choisira de considérer comme structurelles dépendent de la longueur de la période considérée, de la théorie explicative proposée et d'autres facteurs. Il n'y a donc aucune raison de s'attendre à observer une définition unique de la notion de structure dans ce type de contexte. *A fortiori*, il est vain de vouloir que le mot structure ait un sens unique dans tous les contextes. On mesure ainsi l'absurdité qu'il y aurait à convoquer une commission de vocabulaire pour aboutir à une définition de la notion de structure capable d'entraîner l'unanimité. Le simple fait de rechercher une définition unique du terme *structure* montrerait déjà qu'on n'en a pas compris le sens.

Au total, la divergence des définitions n'est pas contradictoire avec le fait que la distinction entre structure et conjoncture désigne une intention scientifique parfaitement claire. Le fait qu'on discute avec passion de ce qui doit être considéré comme structurel n'implique pas qu'on ne s'entende pas sur la signification de la notion de structure dans un tel contexte.

On peut soumettre à la même analyse un autre couple oppositionnel, qui, lui aussi, a donné lieu à d'ardentes polémiques. Nous voulons parler de l'opposition sociologique entre *structure* et *organisation*, à laquelle il a déjà été fait allusion dans ces pages.

D'une part, on peut recenser des prises de position comme celle de Kroeber (25), qui identifient purement et simplement les deux termes : « Le terme de structure sociale qui tend à remplacer celui d'organisation sociale sans rien ajouter, semble-t-il, quant au contenu ou à la signification (...) » (p. 105). D'autre part, on peut citer une multitude de textes qui s'efforcent de définir la distinction entre les deux termes. On trouverait sans doute, là aussi, autant de définitions que d'auteurs et il ne servirait à rien, pour ce qui est de dégager la signification de la notion de structure dans ce type de contexte, de procéder à une analyse du contenu de ces définitions. En revanche, on peut facilement comprendre l'intention scientifique à laquelle correspond l'opposition (structure / organisation).

Adressons-nous de nouveau à Gurvitch, comme à un auteur entre cent. On sait que, pour Gurvitch, structure et organisation ne sont pas synonymes. Des groupes peuvent être « structurés » sans être pour autant « organisés ». Les « organisations » par lesquelles s'exprime une « classe sociale » peuvent être modifiées sans que la structure de cette dernière soit modifiée. Bref, l'*organisation* d'une classe peut ne pas coïncider avec sa structure.

Sans doute ces propositions sont-elles passablement vagues. Mais l'intention manifestée par la distinction est claire. Le terme structure est employé pour souligner qu'un système social peut avoir apparemment une certaine *organisation* (ou une certaine *structure*) et, en profondeur, une autre. Sans aller bien loin, rappelons, par exemple, qu'un système démocratique au niveau de ses règles explicites de fonctionnement peut se comporter comme un système autoritaire. Si le sociologue ne pousse pas l'analyse au-delà des apparences, il s'interdit donc de comprendre les faits qui se produisent à l'intérieur de ce système. La fonction de l'opposition (structure /organisation) est d'attirer l'attention sur ces distinctions. Mais, la réalité et l'importance de la distinction une fois reconnues, il est clair que l'emploi du mot structure n'est nullement obligatoire. On pourrait employer une multitude d'autres termes et, au lieu d'opposer « structure » et « organisation », distinguer par exemple plusieurs niveaux d'organisation. On peut donc avec autant de raisons déclarer comme Kroeber que le mot structure est inutile — à condition toutefois de traduire par d'autres termes les distinctions dont nous parlons — ou au contraire l'utiliser, comme Gurvitch.

D'autre part, même si on reconnaît l'avantage d'opposer « structure » et « organisation », il ne se trouvera pas deux auteurs pour définir de la même manière ce qu'on doit entendre par ces deux termes, à partir du moment où il s'agit de les appliquer à des contenus particuliers. Cependant, on peut prédire que les éléments rangés sous le terme de « structure » seront toujours ceux qu'on considère comme plus fondamentaux pour l'explication des phénomènes qui surviennent à l'intérieur du système social. En d'autres termes, le mot « structure » est utilisé ici parce qu'il rappelle — entre autres — l'association synonymique qu'on peut résumer par l'expression (structure-essence) ou l'opposition (structure /apparences) : un groupe à organisation démocratique qui fonctionne comme un groupe autoritaire n'*est* pas démocratique, mais autoritaire.

Dans le cas où le mot apparaît dans le contexte d'une définition intentionnelle sans être opposé à d'autres termes, sa fonction est encore plus simple, comme on l'a vu déjà à propos de quelques exemples. Elle consiste seulement à rappeler, à propos d'un objet ou d'une manière de considérer un objet, telles ou telles associations synonymiques. Le plus souvent, elle consiste à faire entendre qu'on considère un objet comme un système ou comme une totalité explicative de ses parties.

Dans certains cas, la référence aux associations synonymiques est explicite, comme lorsque Radcliffe-Brown (52) identifie les notions de « structure sociale » et de « système de relations sociales ». Dans les autres cas, la référence peut généralement être restituée sans difficulté. On sait par exemple qu'on parle d' « analyse *structurelle* des groupes » à propos de l'ensemble des techniques, empruntées à l'algèbre matricielle et à la théorie des graphes, qui permettent d'analyser l'information contenue dans un sociogramme [5]. Dans ce cas, le mot « structure » rappelle seulement que les informations de base dont on traite ont la forme de *relations* et que l'analyse a pour tâche de déterminer les propriétés caractérisant un système de relations en tant que tel.

Dans les deux cas que nous venons de citer, comme dans les cas précédents, la signification du mot structure peut donc être ramenée à ses associations synonymiques. Corrélativement, le terme *structure* apparaît dans de tels contextes comme un mot commode, mais en aucun cas obligatoire. Radcliffe-Brown déclare sans ambiguïté, par la définition même qu'il donne, que le terme de « structure » peut être remplacé, sans qu'il en résulte aucune gêne, par l'expression « système de relations ». De même, on pourrait parler d' « analyse des systèmes de relations interindividuelles » là où, plus brièvement, on parle d' « analyse structurelle des groupes ».

Les remarques que nous faisions à propos des contextes oppositionnels sur la difficulté d'aboutir, malgré la clarté de la notion, à une définition susceptible d'engendrer l'unanimité, sont évidemment valables ici. Alors que Radcliffe-Brown définit la notion de structure sociale en l'identifiant à celle de « système de relations sociales », Mannheim (35) la définit comme le « tissu des forces sociales en interaction d'où sont issus les divers modes d'observation et de pensée (...) » (p. 45).

Evans-Pritchard (13), quant à lui, limite la notion de structure sociale aux relations entre les groupes, excluant explicitement les relations interindividuelles. On pourrait ainsi multiplier les exemples. Cela ne permettrait en aucune manière de mettre en évidence un prétendu *dénominateur commun*, qu'on interpréterait ensuite comme une définition générale de la notion de structure, mais montrerait seulement que la signification prêtée à la notion de structure est nécessairement une fonction du contexte dans lequel elle apparaît.

L'important est, en effet, de comprendre que, si des notions comme *structure sociale*, *structure* (par opposition à conjoncture) ou *structure* (par opposition à organisation) ne peuvent faire l'objet d'une définition unique, il n'en résulte pas que la notion de structure n'ait pas une signification claire. Quitte à paraître cultiver le paradoxe, on peut même dire que, pour saisir la signification de la notion de structure, il faut avant tout reconnaître son caractère essentiellement polysémique.

La signification de la notion de structure dans le contexte des définitions intentionnelles.

En effet, lorsque — de l'observation selon laquelle il y a à peu près autant de définitions des expressions « structure sociale », « structure économique », « structure psychique » que de sociologues, d'économistes ou de psychologues — on conclut que la notion de structure n'a pas de sens, on introduit subrepticement une hypothèse d'ordre métaphysique. On peut formuler cette hypothèse de la manière suivante : puisqu'il existe des expressions telles que « structure sociale », « structure économique », etc., il faut bien qu'il leur corresponde dans la réalité des objets définissables de manière unique. Sans cette hypothèse, les polémiques ardentes qui se sont multipliées pour entreprendre la tâche impossible de déterminer la bonne définition d'une notion comme celle de « structure sociale » deviennent incompréhensibles.

Car comment peut-on affirmer, comme le fait par exemple Gurvitch (19), qu'une définition est meilleure qu'une autre, à moins de supposer qu'il existe dans la réalité quelque chose comme une *structure sociale*, qu'il s'agirait seulement de décrire fidèlement? De nouveau, nous retombons sur la croyance naïve selon laquelle il existerait dans la réalité des structures plus ou moins aisément repérables et identifiables.

Mais l'hypothèse dont nous parlons n'est, à aucun degré, nécessaire. Les développements qui précèdent montrent, en effet, que la notion de structure peut être considérée comme dotée, dans le contexte des définitions intentionnelles, d'une signification unique dont les réalisations particulières varient avec l'environnement dans lequel elles sont insérées. L'homonymie apparente n'est donc elle-même qu'un effet de l'environnement. Corrélativement, il correspond à l'emploi du mot structure, quel que soit l'environnement dans lequel il apparaît, une fonction qui peut être aisément décrite. En effet, il s'agit, dans tous les cas, de manifester qu'un objet est considéré comme un système, ou d'opposer aux perspectives qui caractérisent un objet comme agrégat, celles qui le caractérisent comme système. Il en va donc du mot structure dans ce type de contexte comme des phonèmes de la phonologie structurale : les sons qui ouvrent les mots « kilo » et « courage » sont, d'un point de vue phonateur et acoustique, très différents, comme le lecteur peut s'en rendre compte en les prononçant. On les considérera cependant comme des réalisations particulières d'un phonème unique, le phonème (*k*), dans la mesure où la distinction est en corrélation étroite avec le contexte.

La situation est formellement semblable dans le cas de la notion de structure. Dans certains cas, elle apparaît dans des environnements de type oppositionnel. La réalisation particulière qu'on observe alors dépend du terme opposé à « structure ». Manifestement, le mot « structure » ne peut être défini de la même façon, selon qu'il est opposé à « conjoncture », à « organisation » ou à « agrégat » (comme dans l'opposition entre « sondage atomique » et « sondage structurel[6] »). Cependant, il revêt dans tous les cas une fonction bien déterminée : celle de distinguer les éléments qui caractérisent le plus fondamentalement un système, de souligner le caractère systématique d'un objet, etc.

En général, les réalisations varient également — on l'a vu — à l'intérieur d'un contexte oppositionnel particulier. En effet, il ne suffit pas de percevoir clairement la nécessité de la distinction théorique qu'on peut exprimer — quoique de façon non nécessaire — par l'opposition (structure/organisation), pour être en mesure de décider sans équivoque de ce qui doit être attribué à la *structure* et de ce qui relève de l'*organisation* d'un système social déterminé. De plus, à supposer que les distinctions soient exprimées de façon suffisamment claire pour qu'on puisse répartir sans ambiguïté tous les éléments d'un système social dans les deux classes ainsi définies — hypothèse dont la nature peu réaliste est évidente — il faudrait encore faire un choix entre ces éléments. Mais un tel choix ne peut intervenir que comme la conséquence de certains postulats. Or ces postulats peuvent être eux-mêmes plus ou moins aptes à recueillir l'unanimité.

Enfin, les associations synonymiques évoquées par le mot « structure » peuvent varier d'un contexte à l'autre. Ainsi, lorsque Lazarsfeld et Menzel opposent la notion de variable *structurelle* aux notions de variable *globale* et de variable *analytique*, l'emploi du mot

« structure » est destiné, dans ce contexte particulier, à souligner la distinction entre la nature relationnelle des informations qui constituent la matière brute des « variables structurelles », et la nature non relationnelle des informations à partir desquelles sont construits les autres types de variables. Dans ce cas, l'association synonymique évoquée peut être symbolisée par l'expression (structure-système de relations) : en effet, les variables introduites ont bien pour fonction de caractériser un ensemble de composantes comme système de relations.

En revanche, dans un cas comme celui du couple oppositionnel (structure/organisation), il ne s'agit pas d'opposer un objet conçu comme un système de relations à un objet considéré comme un agrégat, mais de distinguer entre plusieurs systèmes de relations caractéristiques d'un objet. Dans ce cas, le terme structure est naturellement associé au système de relations qui paraît le plus fondamental. Cette fois, l'association (structure-système de relations) est reléguée au profit de l'association qu'on peut résumer par l'expression (structure-essence).

Le fait que les réalisations de la notion de structure varient avec les contextes dans lesquels elle est employée a pour conséquence qu'il est impossible d'en donner une définition qui en exprimerait le *contenu*. Bref, il est impossible de donner de la notion de structure une définition de type inductif, au sens que Lévi-Strauss prête à cette expression. En d'autres termes encore : il est très difficile de donner une définition *paradigmatique* de « structure » dans le contexte des définitions intentionnelles[7]. Si on veut « exprimer » le contenu du terme, on ne peut guère qu'énumérer la liste des associations et oppositions qu'il évoque, car — nous pensons l'avoir suffisamment montré — la notion n'a à proprement parler pas d'autre contenu. On définira donc la notion de structure par les associations : (structure-totalité), (structure-système de relations), (structure-totalité non réductible à la somme de ses parties), (structure-essence), etc., ainsi que par les oppositions : (structure /apparence), (structure /caractéristiques apparentes), (structure /agrégat), (structure /système superficiel), etc.

Mais la définition la plus éclairante du terme structure dans le type de contexte qui nous occupe est la définition *syntagmatique* qui en définit la fonction : rappeler le caractère *systématique* d'un objet ou d'une perspective, distinguer entre systèmes de relations fondamentaux et apparents, etc.

Rappelons les termes de notre premier chapitre : la situation de l'épistémologue qui chercherait à donner une définition inductive générale de la notion de structure dans le contexte des définitions intentionnelles est comparable à celle du phonéticien, lorsqu'il cherche à définir ce qu'*est* un son tel que (*r*). S'il essaie d'en déterminer les caractères objectifs en observant un ensemble de réalisations du son (*r*), il devra constater que ces réalisations varient considérablement. En conséquence, le son (*r*) ne correspond pas à un ensemble de caractères bien déterminés. Objectivement, il n'a pas d'identité. Mais on ne peut pas nier non plus que tout Français adulte distingue normalement des mots comme « pou » et « roux », « peine » et « reine ». On doit donc admettre que le son, ou plutôt le phonème (*r*) a une identité. La seule manière de résoudre cette contradiction consiste à reconnaître que la méthode qui vise à déterminer l'identité d'un phonème de manière inductive n'est pas appropriée.

Il en va de même de la notion de structure, telle

qu'elle est employée dans le contexte des définitions intentionnelles. La méthode qui consiste à tenter de déterminer ce que les différentes définitions du mot « structure » ont en commun serait irrémédiablement vouée à l'échec. On constaterait évidemment que ces définitions varient largement et on serait incapable d'expliquer ni qu'un même mot soit appliqué à des objets aussi différents, ni que tout le monde en comprenne la signification lorsqu'il apparaît dans un contexte particulier.

Pour résoudre cette difficulté, il est donc nécessaire d'admettre que la méthode est erronée. Toute la signification du mot « structure » dans le contexte des définitions intentionnelles s'épuise dans les définitions paradigmatique et syntagmatique que nous esquissons plus haut. En ce sens, elle a bien une unité de signification et une identité, malgré la diversité de ses réalisations.

Un corollaire de ces propositions est que les débats autour de questions comme celle de savoir si la notion de « structure sociale » doit être ou non distinguée de la notion d' « organisation », si elle doit être assimilée à la notion de « système de relations sociales », s'il faut inclure ou non les relations interindividuelles dans les types des relations qui définissent les structures sociales, sont parfaitement vains et voués, comme l'expérience le confirme, à l'échec. Les seules questions pertinentes sont celles de savoir s'il est utile, par exemple, lorsqu'on analyse une société, de distinguer entre un système de relations apparent et un système de relations réel. Comme cette distinction est effectivement indispensable dans bien des cas, il est utile de la nommer et commode d'employer pour la désigner un couple comme (structure/organisation). En revanche, il est absurde de se demander quelle est la bonne définition de la notion de « structure sociale ».

De même, il est clair, pour prendre un exemple dans un autre domaine, que les sondages sociologiques « structurels » ou « contextuels », qui permettent de construire des variables « structurelles » ou « contextuelles » au sens de Lazarsfeld, représentent un grand progrès méthodologique par rapport aux sondages atomiques. Car ces derniers, se contentant d'enregistrer des caractéristiques individuelles [8], faisaient de l'individu une abstraction détachée de son milieu. Les sondages structurels permettent donc d'analyser le rôle des « structures sociales » sur le comportement individuel en même temps que de déterminer des types de « structures sociales ». Mais il serait absurde de se demander s'ils sont effectivement capables de décrire la structure d'un système social, car ce serait alors adopter la position *réaliste* qui consiste à supposer que les systèmes — sociaux ou autres — recèlent une structure qu'il s'agirait de découvrir. Tout ce qu'on peut dire c'est que ces sondages « structurels » produisent une information beaucoup plus riche que les sondages atomiques. Cela dit, il est aisé d'expliquer — nous ne reprendrons pas l'analyse ici — que le mot structure soit employé à leur propos.

Si nous désirions hausser le débat sur le plan de la philosophie, nous dirions qu'une bonne part de la confusion attachée à la notion de structure provient de ce qu'on lui attribue une résonance proche de la vieille notion philosophique d' « essence » dans la mesure où on a tendance à la concevoir de manière *réaliste*.

Or, la seule manière de saisir la signification de la notion de structure est de comprendre qu'elle apparaît à l'intérieur d'un discours scientifique, et qu'elle prend seulement sens par les fonctions qu'elle assume à l'intérieur de ce discours.

Dans les chapitres suivants, nous verrons que ces propositions, que nous pensons suffisamment démontrées dans le cas des définitions intentionnelles de la notion de structure, sont également vérifiées dans le cas où la même notion est associée à une définition effective. Dans les contextes de ce type, le mot « structure » ne peut davantage être compris si on l'isole des procédures logiques dans lesquelles il apparaît, que le mot « hypothèse » ne peut être compris dans le contexte des sciences expérimentales, si on ignore les procédures qui servent de fondement à ces sciences.

Du premier au deuxième type de contextes.

Avant de passer au contexte des définitions effectives du terme *structure*, il est bon de revenir pour quelques instants encore à l'opposition entre les deux types de contextes. En effet, on peut se demander comment il est possible de justifier qu'un même mot apparaisse dans des contextes dont le dualisme logique apparaît aussi irréductible.

Pour montrer que ce dualisme n'est pas incompatible avec une signification claire et — d'une certaine manière — unique de la notion de structure, rappelons-nous l'exemple de Spearman. On peut imaginer que la découverte de la théorie unifactorielle de Spearman a suivi les étapes dont nous traçons l'esquisse dans l'exposé précédent : une matrice dotée d'une « structure de Spearman » est une matrice dont les éléments sont liés par un certain nombre de relations. Peut-être est-ce d'abord ce fait qui a frappé Spearman, avant qu'il ait même conçu l'idée de sa théorie. De même, Guttman rapporte lui-même qu'il a été frappé, en examinant un certain nombre de matrices de corrélation construites à partir d'épreuves psychométriques, par le fait qu'on observait souvent, en réarrangeant lignes et colonnes, une décroissance des coefficients de corrélation avec l'éloignement de la diagonale principale de la matrice (voir l'exemple fictif reproduit ci-après).

Épreuves	1	2	3	4	5
1	»	0,60	0,47	0,25	0,10
2	0,60	»	0,58	0,36	0,20
3	0,47	0,58	»	0,54	0,35
4	0,25	0,36	0,54	»	0,62
5	0,10	0,20	0,35	0,62	»

En d'autres termes, aussi bien dans le cas de la matrice unifactorielle de Spearman que dans celui de la matrice de « simplex » de Guttman, ce qui a sans doute d'abord attiré l'attention de ces auteurs, c'est que les éléments des matrices qu'ils avaient sous les yeux étaient liés les uns aux autres par un ensemble de relations. Exprimant cette remarque dans le langage des définitions intentionnelles de la notion de structure, on peut dire que ces matrices apparaissent comme des totalités d'éléments interdépendants. Ce sont donc des *structures*, au sens du premier type de contextes. Mais il reste encore à se demander pourquoi il en est ainsi. Pourquoi, en d'autres termes, cet ordre plutôt que le désordre et pourquoi cet ordre particulier plutôt qu'un autre. On est alors naturellement amené à faire la théorie de cet ordre. La théorie unifactorielle de Spearman et la théorie ordinale de Guttman sont deux exemples de théories conçues pour expliquer les propriétés particulières — les structures (au sens du premier type des contextes) — de certaines matrices de corrélations. Mais l'important est que, à partir du moment où on déclare qu'une matrice a une « structure unifactorielle », une « structure multifactorielle », une « structure de simplex », ou toute autre structure théorique, la notion de structure apparaît dans le contexte d'une définition effective.

Dans d'autres cas, le chercheur éprouvera devant un matériau particulier un sentiment analogue à celui que nous attribuons ici à Spearman ou à Guttman. Il aura le sentiment que son objet est un système, que les éléments de ce système sont interdépendants, qu'ils s'impliquent réciproquement, et qu'il est impossible de les comprendre isolément. Il résumera cette impression en disant que son objet est une « structure » ou qu'il a une « structure ». Mais, dans la plupart des cas, il lui sera impossible de s'en tenir à cette remarque : il faudra aller plus loin et établir la théorie de cette interdépendance.

Nous pouvons résumer ces remarques en disant que s'il est effectivement indispensable de reconnaître la dualité des contextes du terme structure, les deux acceptions distinctes représentent souvent deux moments dans l'analyse d'un matériau. Dans un premier moment, on remarque que le matériau n'est pas, pour paraphraser Kroeber, « complètement amorphe », qu'il présente des régularités, que ses éléments sont interdépendants, etc. Dans un second moment, il s'agit de faire la théorie de cette interdépendance : on passe alors du premier au second type de contextes.

Il n'est pas exagéré de dire que les difficultés et ambiguïtés de la notion de structure se glissent dans l'intervalle qui sépare les deux moments. En effet, dans le cas des matrices psychométriques de Spearman ou de Guttman, les deux moments coïncident, ou du moins se suivent de près. L'idée de calculer les corrélations entre des épreuves suppose déjà un équipement statistique. Quand on observe ensuite que certains ensembles d'épreuves donnent naissance à des matrices d'intercorrélations dotées de « structures » (au sens du premier type de contextes) particulières, on se pose naturellement la question : Pourquoi cette structure? On tente alors d'en faire la théorie. Or, il se trouve que l'instrumentation nécessaire à la construction de cette théorie est encore la statistique. En d'autres termes, dans ce cas particulier, le fait que la question « pourquoi cette structure? » puisse être posée implique que la réponse puisse être trouvée ou, plus exactement, que l'instrumentation nécessaire à l'élaboration de la réponse soit disponible.

Mais il s'agit là d'un cas exceptionnel. Dans de très nombreux cas, les deux moments sont séparés, comme le confirme l'histoire des sciences, par des années, des décennies, voire des siècles. Il suffit de considérer l'exemple de la biologie. On trouve déjà chez Aristote l'idée que l'organisme est une structure (au sens du premier type de contextes). Mais il a fallu attendre le vingtième siècle pour que cette structure soit analysée par des théories de type scientifique. Jusque-là, on avait dû se contenter d'expliquer la finalité à laquelle les vivants obéissent par la théorie métaphysique et tautologique des causes finales [9].

Ces considérations expliquent pourquoi nous avons jugé utile de parler de contextes *intentionnels* à propos du premier type de contextes. En effet, très souvent, l'emploi du mot structure dans les contextes intentionnels sert à décrire une *intention:* l'intention de construire ou de présenter une théorie analysant l'interdépendance des éléments d'un objet-système. Mais très souvent aussi, l'intention ne donne pas lieu et ne peut donner lieu à une réalisation *effective*, soit que l'objet ne le permette pas ou qu'on ne dispose pas de l'outillage mental nécessaire. D'où la tentation — qui explique l'abus du mot structure dans certains contextes — d'employer le mot de façon *magique:* en l'absence de techniques pour provoquer la pluie sur les récoltes, on peut la chanter, comme le font certaines peuplades. De même, certaines analyses structurales ne sont structurales que dans la mesure où elles utilisent le mot structure comme une incantation.

CHAPITRE III

SIGNIFICATION DE LA NOTION DE STRUCTURE DANS LE CONTEXTE DES DÉFINITIONS EFFECTIVES

Nous passons dans ce chapitre au cas où le mot « structure » apparaît dans le contexte d'une définition *effective*. Comme on s'en souvient par l'exemple de l'analyse factorielle de Spearman étudié au chapitre précédent, la notion de structure est, dans ce type de contexte, associée à une construction logique. C'est cette construction qui, appliquée à un objet-système, définit la « structure » de cet objet.

Mais une telle proposition ne suffit pas à dissiper et à expliquer le caractère polysémique de la notion de structure à l'intérieur de ce second type de contextes. Pour cela, il reste encore à montrer — ce qui semble à première vue une gageure — que cette définition de la notion de structure s'applique également à des cas aussi différents que l'analyse factorielle de Spearman, l'analyse des structures de la parenté, l'analyse structurelle des systèmes sociaux au sens de Parsons ou l'analyse de la structure sociale au sens de Murdock, pour citer quelques exemples entre mille.

C'est à cette tâche que nous nous consacrerons maintenant. La thèse que nous chercherons à défendre est que, si la structure d'un système est toujours le résultat d'une théorie hypothético-déductive appliquée à ce système, certaines *contraintes* — imposées par la nature particulière du matériau examiné — font que cette théorie peut prendre des formes logiques très diverses. Dans certains cas, il s'agira d'un modèle mathématique vérifiable. Dans d'autres, il s'agira d'un ensemble de propositions verbales, dont les conséquences seront obtenues par une procédure déductive fruste, de type syllogistique. Autre distinction : dans certains cas, la théorie pourra être associée à un critère de vérification dépourvu d'ambiguïté. Dans d'autres cas, au contraire, il sera impossible d'associer à une théorie un critère de vérification non équivoque. On devra donc se contenter de se reposer sur le degré de conviction psychologique entraîné par la théorie. Enfin, on trouvera que, dans certains cas, le système analysé est directement emprunté à la nature, tandis qu'il est, dans d'autres cas, constitué par la volonté du chercheur.

Avant d'introduire cette démonstration en procédant par l'analyse détaillée d'un certain nombre d'exemples précis de « structures », nous ferons encore quelques remarques préliminaires.

De façon générale, la distinction entre le contexte des définitions intentionnelles et le contexte des définitions effectives peut être ramenée à une distinction entre deux types de définitions. Dans le premier type de contextes, la notion de structure est toujours associée, implicitement ou explicitement, à une énumération de caractères permettant — au moins en principe — d'identifier le type d'objet qu'on désire désigner par le substantif « structure », par le qualificatif « structurel », etc. Citons à nouveau, comme exemple de ce type de contexte, la définition de Flament (15), que nous répétons ici : « Une structure est un ensemble d'éléments entre lesquels existent des relations, et tel que toute modification d'un élément ou d'une relation entraîne une modification des autres éléments ou relations. » Une définition dont le *contenu* est visiblement différent mais dont le *type* logique est le même peut être empruntée à Katona (23). Pour cet auteur, la notion de structure est en effet associée à l'idée selon laquelle « tous les éléments ou les parties (d'une structure) sont influencés par le tout qui les compose ». Mais, ajoute-t-il afin de préciser sa pensée, le fait que le tout soit différent de la somme de ses parties « ne signifie pas nécessairement que le tout soit plus que la somme de ses parties ». En effet, « le changement d'un élément ou d'une partie peut affecter ou ne pas affecter le tout ou les autres éléments ou parties, suivant le rôle et la fonction de la partie » (p. 32). Les deux définitions que nous venons de citer — et que nous prenons entre mille — sont donc différentes dans leur contenu. Pour Flament, la modification d'un élément entraîne nécessairement la modification de la totalité. Pour Katona, un tel effet est seulement conditionnel. Néanmoins, les deux définitions appartiennent toutes deux au même type logique. Il s'agit, en effet, d'énumérer des caractères spécifiques permettant d'identifier un objet comme « structure ». On peut résumer cette remarque en disant que le type de définition employé est celui d'une *définition par distinction.*

Le même type de définition peut être considéré comme présent chaque fois que la notion de structure — sans faire l'objet d'une définition en forme comme dans les cas que nous venons d'analyser — est utilisée parce qu'elle évoque les associations synonymiques (structure-totalité), (structure-système de relations), etc. On a vu au chapitre précédent que des notions comme celles d' « effet structurel » (Blau), de « variable structurelle » (Lazarsfeld et Menzel) devaient être rangées dans cette catégorie.

Par opposition aux définitions par distinction, qui caractérisent les exemples du chapitre précédent, les définitions que nous avons appelées *effectives* sont des définitions par *construction.* Ici, la notion de structure ne fait pas l'objet d'une définition — implicite ou explicite — reposant sur une liste de caractères spécifiques. Sa définition réside dans la construction par laquelle la « structure » d'un objet-système est déterminée.

Cette distinction peut être rapprochée de la distinction entre la théorie classique de la définition par le genre proche et la différence spécifique et la notion mathématique des définitions par construction[1]. Pour illustrer cette comparaison, disons que, lorsqu'on définit la notion de structure comme Flament ou Katona, on procède à une opération mentale analogue à celle que fait le naturaliste lorsqu'il définit le concept de « chien » : il s'agit d'associer à ce concept un certain nombre d'attributs qui permettent de le distinguer par exemple des concepts de « cheval » ou de « fleur ». En revanche, le psychologue qui définit la notion de « structure factorielle » procède un peu comme le mathématicien lorsqu'il définit le concept de nombre entier. Dans ce cas, on ne cherche pas à définir la notion de « nombre entier » par distinction avec d'autres notions. La définition coïncide en fait avec la description de la procédure par laquelle on peut obtenir un nombre nouveau à partir d'un nombre déjà construit : on définira 2 par l'égalité $2 = 1 + 1$; 3 par l'égalité $3 = 2 + 1$, etc.

La définition de la notion de structure dans un cas comme celui de l'analyse factorielle de Spearman correspond donc bien à une définition par construction. En effet, il est impossible de comprendre l'expression « structure factorielle » indépendamment de la construction logique à laquelle elle est associée. Réciproquement, l'expression est dépourvue d'ambiguïté à partir du moment où la construction est comprise.

Il est utile, pour clore ces remarques préliminaires, d'écarter une objection possible à la distinction entre contexte des définitions intentionnelles et contexte des définitions effectives. Ne peut-on, en effet, plutôt que de recourir à une distinction entre les types de définitions, déclarer que le premier contexte correspond au cas où une définition générale de la notion de structure est visée, tandis que le second correspondrait au cas où on se propose de décrire la structure d'un objet-système particulier, qu'il s'agisse du système des règles du mariage dans une société, ou du système des réponses à une batterie d'épreuves psychométriques?

Nous répondrons à cette objection, d'une part, que la notion de structure peut apparaître dans le contexte d'une définition intentionnelle et être cependant associée à une catégorie d'objets très particuliers. Ainsi, la notion d' « effet structurel » (Blau) n'a de sens que dans la situation très particulière où sont définies un certain nombre de variables individuelles et de variables collectives. En ce sens, elle n'est pas plus générale que la notion de structure de Spearman. D'autre part, il faut bien, lorsqu'on parle de la « structure » d'un objet-système particulier dans le contexte d'une définition effective, qu'on se réfère à une image générale de la notion de structure. En d'autres termes, il faut bien, puisque le mot « structure » est employé dans les deux types de contextes à propos d'objets très divers, que le mot présente ou soit conçu comme présentant une identité à travers ces contextes particuliers. On ne peut donc à ce point de vue faire aucune différence entre les deux types de contextes.

Le problème de l'analyse de la signification de la notion de structure dans le contexte des définitions effectives se pose donc exactement dans les mêmes termes que dans le contexte des définitions intentionnelles. Il s'agit d'expliquer le sentiment d'homonymie provoqué par le fait que des expressions telles que « structure », « structurel », « analyse structurale », etc., soient associées à des constructions manifestement différentes. On peut se demander, en effet, en quoi les constructions associées à la notion de « structure sociale » chez Murdock, Parsons et Lévi-Strauss, par exemple, peuvent être comparées. Comment justifier que l'instrumentation hétéroclite qu'utilisent les sociologues, les psychologues, les économistes, les phonologues ou les grammairiens puisse être rangée sous l'étiquette commune du structuralisme. Réciproquement, comment la notion de structure peut-elle avoir une signification, si elle désigne indistinctement des méthodes entre lesquelles on n'entrevoit guère de rapport?

Comme dans les contextes analysés au chapitre précédent, il s'agit donc d'élucider la contradiction entre le sentiment d'identité évoqué par la notion de structure et la diversité incontestable de ses réalisations.

Pour résoudre ce problème, il est nécessaire d'analyser un échantillon de contextes associés à une définition *effective* de la notion de structure. Nous nous efforcerons de choisir nos exemples dans des disciplines aussi variées que possible et de prendre des cas où la notion de structure est manifestement associée à des constructions diverses.

Les sources d'homonymie dans le contexte des définitions effectives.

Comme nous l'annoncions dans le premier chapitre, la thèse que nous soutiendrons est la suivante : pour que l'on puisse parler de structure dans le contexte qui nous occupera désormais des définitions effectives, il faut d'abord que l'objet qu'on se propose d'analyser soit conçu comme un *système.* En d'autres termes, il faut qu'il soit conçu comme une totalité composée d'éléments interdépendants.

Pour préciser cette notion de *système*, donnons dès maintenant quelques exemples :

1. Supposons un ensemble d'éléments particuliers comme les règles du mariage d'une société. Cet *ensemble* devient un système à partir du moment où on pose par principe que ces règles ne peuvent être analysées que les unes par rapport aux autres. Concevoir ces règles comme un système exclut qu'on les interprète, par exemple, comme le produit d'un ensemble de contingences historiques.

2. Supposons un autre ensemble d'éléments comme les règles d'accentuation caractéristique d'une langue. Ici encore, il est possible de concevoir ces règles comme de simples faits qu'il s'agit seulement d'enregistrer. On les conçoit comme un système à partir du moment où on pose par principe qu'elles s'impliquent réciproquement et que chacune d'entre elles est indispensable à la compréhension des autres.

3. Un autre exemple de *système* est fourni par les deux matrices psychométriques (fictives) reproduites aux pages 83 et 43. Ces deux tableaux contiennent chacun un ensemble d'éléments qui sont liés les uns aux autres. Ainsi, dans la matrice de la page 43, à partir du moment où on connaît les règles de for-

mation analysées aux pages 46 à 51, on peut, connaissant un élément de la colonne *i* et l'élément correspondant de la colonne *j*, remplir intégralement ces deux colonnes.

Notons incidemment que ces hypothèses — qui visent à considérer l'objet de l'analyse comme un *système* — ne sont pas nécessairement exclusives d'autres hypothèses. Rien n'interdit, en effet, de s'interroger sur l'histoire d'une institution ou d'une règle de mariage particulière ou sur l'évolution d'une règle d'accentuation. Dans ce cas, on ne considérera évidemment pas l'ensemble des institutions, des règles du mariage ou des phénomènes d'accentuation comme des systèmes. Dans d'autres cas, l'interprétation d'un ensemble comme *système* est obligatoire; c'est le cas des matrices de corrélations psychométriques reproduites plus haut. On peut donc dire que, sauf cas particuliers, il n'y a aucune nécessité de principe à considérer un objet comme un système. Tout ce que nous voulons souligner, c'est donc que la notion de « structure » n'intervient qu'à partir du moment où on décide effectivement de considérer un objet comme un système.

Cette hypothèse étant posée, il s'agit alors de montrer que l'objet est effectivement un système. Plus exactement, il s'agit de démontrer que les éléments de l'ensemble qu'on considère comme un système sont effectivement interdépendants. En d'autres termes encore, il s'agit d'analyser l'interdépendance de ces éléments.

Le résultat de l'analyse est ce qu'on peut appeler une « théorie du système ». Quant à la description ou à l'interprétation de l'objet-système qui résulte de cette théorie, elle n'est autre que la *structure* de cet objet. Ce qui définit la notion de *structure* dans ce type de contexte.

Telle est à notre sens la seule définition possible de la notion de structure dans le contexte des définitions effectives. Elle est intimement liée à la notion de « théorie des systèmes ». Notre propos sera de démontrer que dans tous les cas où elle apparaît dans ce type de contextes, elle est associée à une théorie de l'objet considéré en tant que système.

Cela dit, il restera à présenter une théorie des *homonymies* de la notion de structure dans ce type de contextes. En effet, si les propositions que nous venons d'énoncer définissent bien la notion de structure dans le contexte des définitions effectives, il faudra encore expliquer que les « analyses structurales » qu'on rencontre dans la littérature puissent être si diversement rigoureuses et convaincantes. Dans les contextes examinés au chapitre précédent, les sources d'homonymie de la notion de structure ont été aisément identifiées. Nous avons vu qu'elles résident dans le fait que la notion de structure apparaît souvent en opposition avec d'autres termes et, plus généralement, dans ce que les contextes particuliers entraînent l'évocation de telle ou telle association synonymique particulière. Ici, le sentiment d'homonymie est également un effet des types d'environnements dans lesquels la notion de structure apparaît. Plus précisément, on peut distinguer deux sources principales d'homonymie.

Première source d'homonymie dans les contextes « effectifs ».

Tout d'abord, les « théories » associées à la notion de structure dans tel ou tel cas particulier peuvent être de types logiques différents.

1. Dans certains cas, ces théories sont des systèmes hypothético-déductifs vérifiables. Elles ont la forme logique d'un ensemble de propositions ou *axiomes* à partir desquelles il est possible, par déduction, d'obtenir de nouvelles propositions ou *conséquences*. Le système de propositions ainsi formé est vérifiable dans la mesure où certaines de ses conséquences, quelquefois toutes, peuvent être comparées aux propriétés de l'objet qu'on se propose d'analyser. Un exemple de théorie de ce type est la théorie factorielle de Spearman. En effet, la procédure consiste d'abord à émettre l'hypothèse que les résultats obtenus par une population à un ensemble d'épreuves sont cohérents. Plus précisément, on suppose qu'ils sont explicables par un facteur général et par des facteurs spécifiques, dont les effets sont indépendants d'une épreuve à l'autre. Cette hypothèse est alors traduite de manière formelle. On exprime la réussite d'un sujet à une épreuve comme une fonction linéaire d'un facteur systématique et de facteurs spécifiques (premier ensemble d'axiomes). On introduit alors un certain nombre de conventions de mesure (deuxième ensemble d'axiomes). Enfin, on traduit les concepts *de facteur général* et de *facteurs spécifiques*, en supposant ces facteurs statistiquement indépendants (troisième série d'axiomes). L'ensemble de ces axiomes constitue un système hypothético-déductif, d'où on déduit le théorème selon lequel les coefficients de corrélation entre les épreuves doivent être liés par des relations de forme $r_{ij}/r_{ik} = r_{mj}/r_{mk}$, où i, j, k et m désignent quatre épreuves quelconques.

Pour déterminer si cette théorie exprime convenablement la cohérence supposée entre les résultats, il faut alors vérifier que ces relations sont bien satisfaites lorsqu'on considère les coefficients de corrélation empiriques entre les scores mesurant la réussite aux diverses épreuves. Si elles le sont, on considérera la théorie comme une représentation adéquate du système des scores. Dans le cas contraire, on devra la rejeter. Mais l'important est de voir que, dans un cas comme celui-là, la théorie est précisément construite de manière à pouvoir être rejetée par application d'un critère simple.

Nous verrons dans ce qui suit que bon nombre de théories associées à l'analyse « structurale » d'un objet-système sont de ce type.

2. Dans d'autres cas, la théorie est encore un système hypothético-déductif, mais la vérification ne peut être obtenue par application d'un critère simple et dépourvu d'ambiguïté. Pourtant, elle ne peut être dite impossible. En effet, la théorie peut être compatible avec un grand nombre de faits, sans que cette compatibilité constitue un critère de vérification aussi strict que dans le cas précédent. Prenons, par exemple, le cas de la phonologie de Jakobson. Par une suite de démarches complexes, Jakobson identifie dans la langue anglaise un certain nombre de phonèmes, qu'il décrit par un ensemble de « traits distinctifs ». Ainsi, le phonème (*i*) de « pit » est décrit comme « vocalique », « non consonantique », « diffus », « aigu », le phonème (*h*) de « hill » comme « non vocalique », « non consonantique », « tendu », le phonème (#), qui représente le silence, comme « non vocalique », « non consonantique », « lâche ». On voit, par le caractère surprenant de ces descriptions, qu'elles sont en fait le résultat d'une théorie. Quoi qu'il en soit, la description des phonèmes à partir de cette théorie permet de les ranger selon un certain ordre de complexité. On constate alors que cet ordre de complexité coïncide grossièrement avec l'ordre de disparition des pho-

nèmes chez l'aphasique et avec l'ordre d'apparition des phonèmes chez l'enfant. L'accord entre l'ordre des phonèmes obtenu par la théorie et ces ordres empiriques est évidemment une confirmation de la validité de la théorie. En d'autres termes, on a davantage tendance à faire confiance à la théorie quand on a constaté la coïncidence de ces ordres. Cependant, on ne peut dire à proprement parler qu'elle constitue une preuve de la validité de la théorie. Pas plus qu'on ne peut dire que l'absence de coïncidence entre l'ordre théorique et les ordres empiriques eût constitué une réfutation non équivoque de la théorie. Bref, l'absence de coïncidence ne peut dans ce cas jouer le rôle d'un *critère de falsification.* Ce fait provient de ce que la théorie à partir de laquelle est obtenue la description des phonèmes permet de déduire l'ordre de complexité des phonèmes, mais non la nécessité de la coïncidence entre cet ordre et l'ordre d'apparition des phonèmes chez l'enfant par exemple. C'est pourquoi l'absence de coïncidence n'eût pu être considérée comme preuve de fausseté. Dans un cas comme celui-là, nous dirons que la théorie est associée à des procédures de vérification *indirectes.* Nous verrons plus bas que la plupart des travaux rangés sous l'étiquette de la phonologie structurale et associés aux noms de Jakobson, Troubetzkoï, Harris et d'autres, peuvent être classés sous cette rubrique [2].

3. Dans d'autres cas encore, la théorie est un système hypothético-déductif, mais on ne peut plus à proprement parler définir à son propos de critères de vérification, ni directs ni indirects. Elle peut, par des mécanismes complexes, entraîner un degré de conviction variable et être jugée plus ou moins *vraisemblable.* Mais elle n'est à proprement parler vérifiable, ni directement ni indirectement. Ce cas

est illustré, par exemple, par la théorie psychanalytique de la structure de la personnalité.

On comprend ainsi que la notion de structure puisse être dotée d'identité — dans la mesure où elle est toujours associée à une théorie visant à expliquer ou à interpréter le caractère *systématique* d'un objet — tout en éveillant un sentiment puissant d'homonymie. Quant au problème de savoir pourquoi l'analyse des systèmes est associée dans certains cas à une théorie vérifiable et dans d'autres à une théorie simplement vraisemblable, il est si complexe que nous ne pourrons que l'évoquer ici [3].

Deuxième source d'homonymie.

Outre cette première source d'homonymie, on peut en citer une seconde. En effet, les objets-systèmes auxquels on applique une analyse « structurale » peuvent différer par leur nature.

Dans tous les cas et par définition, ces objets sont, ou, plus exactement, *sont conçus* comme des systèmes, c'est-à-dire — encore une fois — comme des objets analysables en composantes interdépendantes. Mais ces systèmes peuvent différer considérablement par les difficultés qu'ils opposent à l'observation. Certains sont constitués par un ensemble de faits, de caractères ou de composantes aisément repérables et dont le nombre est défini. Nous dirons alors qu'il s'agit de systèmes *définis*. D'autres sont, au contraire, constitués par un ensemble de composantes qu'on ne peut toujours identifier de façon certaine et dont le nombre est indéfini. Nous parlerons dans ce cas de systèmes *indéfinis*.

Examinons, afin d'illustrer cette distinction, un certain nombre d'exemples.

Dans l'analyse des « structures de la parenté », le système considéré est celui des règles du mariage d'une société donnée. Il s'agit d'expliquer que ces règles forment un tout cohérent d'éléments interdépendants. Dans ce cas, le système analysé est donc composé par l'ensemble des règles du mariage. Ces règles peuvent être aisément repérées et énoncées. De plus, leur nombre est fini. Ainsi, on sait que, dans la société Tarau, tout mariage entre cousins au premier degré est interdit, à l'exception du mariage avec la fille du frère de la mère. Dans ce cas, on a affaire à un système *défini.*

Certaines recherches appartenant au domaine de la syntaxe structurale — auxquelles nous avons déjà fait allusion et que nous examinerons en détail — se sont proposé de montrer que les phénomènes d'accentuation d'une langue constituent des ensembles cohérents qu'on peut déduire d'un système de règles fondamentales. Les efforts ont surtout porté sur l'analyse des faits d'accentuation de la langue anglaise. Dans ce cas, les systèmes auxquels s'applique l'analyse sont les faits d'accentuation attachés à tel ou tel segment ou à telle ou telle phrase de la langue anglaise. Ainsi, lorsqu'une personne de langue anglaise énonce un segment tel que « John's black board eraser », elle associe à chacun des mots un accent d'intensité relative donnée. Selon les phonéticiens, l'accent le plus affirmé de ce segment porte sur « black »; « John's » porte un accent d'intensité un peu plus faible; le « a » de « eraser » porte un accent encore plus faible; enfin, le mot le plus faiblement accentué est « board ».

Dans ce cas comme dans le précédent, les systèmes sur lesquels porte l'analyse sont donc bien des ensembles de composantes aisément repérables et dont le nombre est fini. Dans le cas de l'accentuation du segment « John's black board eraser », l'ensemble des faits caractéristiques du système est la hiérarchie des quatre degrés d'accent. Il s'agit donc encore d'un système défini.

Examinons maintenant un cas intermédiaire : celui où un système indéfini est arbitrairement transformé en système défini. Considérons par exemple la situation où on applique l'analyse factorielle de Spearman à un ensemble d'épreuves psychométriques. Sans doute administrera-t-on toujours à une population un nombre fini d'épreuves. En conséquence, le système à analyser, représenté par la matrice de corrélations entre les épreuves, est composé d'un ensemble d'éléments parfaitement définis et repérables, qui ne sont autres que les coefficients de corrélation.

Cependant, la situation est logiquement différente de celle des cas précédents. En effet, le « choix » des éléments retenus est arbitraire [4]. En d'autres termes, le système constitué par la matrice des corrélations entre les scores est bien défini. Mais il l'est en vertu d'une décision arbitraire. En revanche, les règles du mariage d'une société ou les faits d'accentuation d'un segment parlé constituent des systèmes qu'on peut qualifier de *naturellement définis*.

Il existe enfin des cas — fort nombreux — de systèmes naturellement indéfinis, qu'il est difficile de ramener à des systèmes définis. Ainsi, il est évident — on le sait depuis Montesquieu — que parmi les institutions ou les valeurs d'une société, certaines constituent des systèmes ou des ensembles d'éléments interdépendants. Cela dit, il est clair que les « systèmes sociaux » sont des systèmes naturellement indéfinis et qu'il est difficile de les ramener à des systèmes définis par une décision arbitraire. Il en va de même lorsqu'on parle, comme on le fait couramment en psychologie, de la « structure de la personnalité ». On se réfère dans ce cas à un objet qui présente les caractères d'un système indéfini.

Ces distinctions sont trop évidentes pour qu'il soit utile d'en discuter longuement.

Malgré leur évidence, il n'est pas sûr qu'on ait suffisamment remarqué leur portée pour l'analyse de la polysémie apparente de la notion de structure. Pourtant, il va presque de soi que la notion de structure doive avoir une résonance différente selon qu'elle est associée à un système défini ou à un système indéfini. De même, les vertus de l' « analyse structurale » doivent varier considérablement selon qu'on a réussi à construire une théorie hypothético-déductive vérifiable ou une théorie seulement vraisemblable. D'autre part, une théorie *vérifiable* appliquée à un système *défini* doit être plus convaincante qu'une théorie vraisemblable appliquée à un système *indéfini*. Cela explique qu'on considère naturellement comme homonymique l'acception que Lévi-Strauss prête à la notion de structure lorsqu'il parle des « structures de la parenté » et celle que Parsons lui prête dans l'expression de « structure sociale ». Pourtant, la notion de structure est bien associée dans les deux cas à une interprétation théorique du caractère systématique de l'objet considéré.

Notons — incidemment — un corollaire pessimiste des considérations qui précèdent : si notre analyse est convenable, il en résulte que l'efficacité de ce qu'on peut appeler d'un terme générique les « méthodes structuralistes » dépend des caractéristiques de l'objet considéré. Dans certains cas, ces méthodes conduiront à des théories qui pourront le disputer en rigueur aux théories des sciences de la nature. Dans d'autres cas, il s'agira de théories capables de persuader plutôt que de convaincre. C'est que le problème n'est pas seulement de donner à l'objet le statut de système et de le prendre dans une perspective « structuraliste ». D'autres conditions doivent être réunies. Ainsi pour qu'on puisse appliquer à cet objet une théorie vérifiable, il faut qu'il soit suffisamment circonscrit.

Nous résumerons ce qui précède en disant — quitte à choquer les fervents d'un structuralisme mal défini — que la perspective « structuraliste » n'a en elle-même aucune vertu. Le succès rencontré par son application dépend en grande partie de l'objet auquel on l'applique. Naturellement, il faut aussi pouvoir disposer des outils formels nécessaires à la formulation de la théorie.

Si on réduit les deux distinctions que nous venons de présenter à des dichotomies — distinction entre les types d'objets-systèmes, d'une part, entre les types de théories associées à l'analyse structurale, de l'autre — on obtient quatre types de structures (tableau I).

TABLEAU I. — LES QUATRE TYPES D'ENVIRONNEMENTS FONDAMENTAUX DE LA NOTION DE STRUCTURE DANS LE CONTEXTE DES DÉFINITIONS EFFECTIVES

	Objet-système défini	Objet-système indéfini
Théorie vérifiable...	Type 1	Type 2
Théorie indirectement vérifiable ou invérifiable	Type 3	Type 4

Il est difficile de démontrer que les deux dimensions résumées par ce tableau — en même temps que les types de structures qui en dérivent — épuisent l'analyse des environnements de la notion de structure. Nous espérons cependant, par les exemples qui suivent, faire apparaître que ces distinctions sont fondamentales. On verra, en effet, que les exemples appartenant à chacun de ces types éveillent un sentiment de synonymie, tandis que les exemples de types différents éveillent un sentiment d'homonymie. En d'autres termes, la notion de structure apparaît comme définie sans ambiguïté à l'intérieur de chacun de ces types. En revanche deux exemples pris à des types différents, éveillent un sentiment d'homonymie.

Comme on l'a compris, le problème de la signification de la notion de structure dans le contexte des définitions *effectives* revient à démontrer l'identité de la notion au-delà des différences dues aux environnements logiques particuliers.

Dans le présent chapitre, nous examinerons quelques exemples appartenant aux types 1 et 2.

Premier exemple de type I — l'analyse structurale de l'accentuation de l'anglais.

Le premier exemple que nous choisissons d'examiner est l'analyse structurale de l'accentuation de l'anglais, due à Chomsky et Miller (8, 9, 41).

La théorie de l'accentuation de l'anglais de Chomsky et Miller se situe dans un ensemble de recherches menées par ces auteurs sur la grammaire des langues naturelles. L'hypothèse de base qui préside à leurs travaux est que les règles grammaticales sont, non des conventions arbitraires, mais des systèmes permettant de traduire ou de comprendre un message sans équivoque. Ils ont cherché à montrer que les propriétés syntaxiques des phrases ou segments acceptés dans une langue comme grammaticalement corrects pouvaient être déduites d'un système de règles extrêmement générales, de sorte que la formation d'un message grammaticalement correct peut être conçue comme résultant d'une déduction effectuée à partir de ces règles générales. Ces travaux n'en sont qu'à leurs débuts. On verra cependant, dans l'analyse des phénomènes d'accentuation de la langue anglaise que nous évoquons brièvement ci-dessous, qu'il s'agit là de recherches révolutionnaires et prometteuses.

C'est un lieu commun que de voir dans les règles d'accentuation de la langue anglaise une somme de règles arbitraires — *un agrégat*. La difficulté éprouvée par les personnes de langue étrangère dans l'apprentissage de ces règles en est la preuve. Pourtant, s'il est vrai qu'elles se réduisent bien à un petit nombre de principes généraux flanqués d'une multitude d'exceptions, comment expliquer qu'elles soient maniées avec tant de sûreté par l'adulte normal de langue maternelle anglaise et que l'enfant en fasse un apprentissage aussi rapide? Comme on le voit, la question posée, si elle relève évidemment de la linguistique, déborde sur les problèmes psychologiques de l'apprentissage et du maniement de la langue.

La seule manière de résoudre la contradiction qui découle de ces remarques est de montrer que les règles de l'accentuation forment bien, contrairement aux apparences, un tout — *un système* — cohérent et que la plupart des cas particuliers sont, en fait, les conséquences de règles générales.

A première vue, cette prétention apparaît comme

une gageure. Comment ne pas voir un accident dans le fait que deux mots aussi proches l'un de l'autre que « compensation » et « condensation », par exemple, se prononcent pourtant de manière très différente? Dans « compensation », la voyelle « e » est *réduite* (« reduced ») et le mot se prononce « comp'nsation ». En revanche, dans « condensation », bien que l'accent tonique soit situé à la même place que dans « compensation », la voyelle « e » est discrètement audible. Comment expliquer — pour prendre un autre exemple cher à Chomsky et Miller — que la prononciation du segment « telegraph » varie considérablement avec le contexte. Dans « telegraph » et dans « telegraphic », la voyelle de la deuxième syllabe est « réduite ». En revanche, elle est discrètement audible dans « telegraphy ». En outre, alors que les syllabes extrêmes de « telegraph » reçoivent des accents de même degré, les syllabes homologues de « telegraphic » reçoivent des accents d'intensité différente, l'accent porté par la première syllabe étant cette fois atténué par rapport à l'accent de la troisième syllabe. Il est clair, à première vue, qu'il est difficile de concevoir de telles règles autrement que comme des décrets arbitraires. Mais s'il s'agissait effectivement de règles arbitraires, comment — encore une fois — expliquer la facilité de leur apprentissage et la sûreté de leur maniement?

Certains exemples confirment au demeurant la nécessité de voir dans ces règles un système cohérent. En effet, elles ont, dans certains cas, une fonction importante : celle d'éliminer l'ambiguïté d'un message. Ainsi l'expression écrite « small boys school », peut, si on fait abstraction du contexte, signifier à la fois « école pour jeunes garçons » et « petite école de garçons ». Mais, dans le langage parlé, l'ambiguïté est éliminée. En effet, le segment « small boys school » est accentué ($\overset{3}{\text{small}}$ $\overset{1}{\text{boys}}$ $\overset{3}{\text{school}}$) lorsqu'il signifie « école pour jeunes garçons », et ($\overset{2}{\text{small}}$ $\overset{1}{\text{boys}}$ $\overset{3}{\text{school}}$) lorsqu'il signifie « petite école de garçons ». Les chiffres placés au-dessus des mots indiquent le degré d'intensité de l'accent qui leur est imposé.

A l'inverse des précédents, de tels faits éveillent l'impression que les règles de l'accentuation constituent un système cohérent, ou en tout cas, qu'elles assument des fonctions importantes dans la parole.

Les travaux de Chomsky et Miller montrent que les règles d'accentuation de la langue anglaise peuvent en effet être tenues pour les conséquences d'un nombre restreint de principes ou d'axiomes généraux. Plus exactement, ils démontrent que l'espoir d'aboutir un jour à une théorie qui permettrait de déduire l'accentuation de n'importe quel segment de l'anglais n'est pas déraisonnable. En particulier, il est possible de montrer que les curiosités évoquées plus haut, comme la différence de prononciation entre « compensation » et « condensation », sont des conséquences correctement déduites de ces principes. Mais ces axiomes ne permettent pas seulement de rendre compte de faits particuliers. Ils fournissent, au moins en principe, le moyen de reconstituer l'accentuation d'à peu près n'importe quel segment de la langue anglaise.

Pour le voir, nous analyserons, avec Chomsky, l'expression déjà citée : « John's black board eraser », dont l'accentuation peut être résumée sous la forme :

($\overset{2}{\text{John's}}$ $\overset{1}{\text{black}}$ $\overset{4}{\text{board}}$ $\overset{3}{\text{eraser}}$).

Pour comprendre la théorie de Chomsky-Miller, il est d'abord nécessaire de donner une idée suffisamment précise de la notion de « description structurelle » d'un segment. Prenons, pour cela, un exemple simple, celui de l'expression « small boys school ». Lorsqu'elle signifie « petite école de garçons », les deux mots « boys school » forment, si on nous autorise ce langage un peu vague, une unité à l'intérieur de l'unité plus large constituée par l'expression complète. On peut résumer cette analyse par un système de parenthèses et représenter l'expression par [small (boys school)]. De manière analogue, si le segment signifie « école pour petits garçons », on le transcrira sous la forme [(small boys) school].

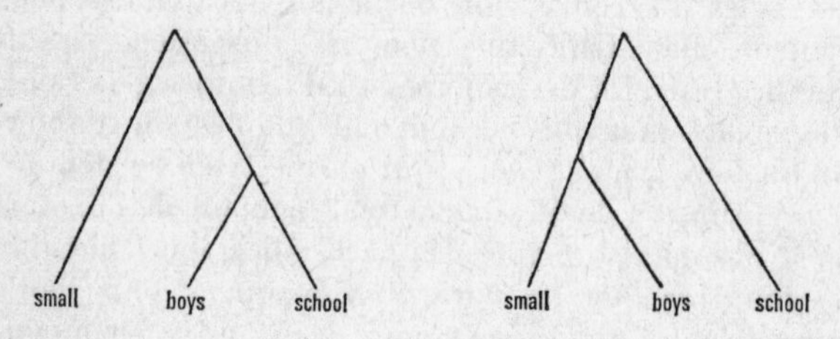

FIG. 1. — DESCRIPTION STRUCTURELLE A L'AIDE D'ARBRES LOGIQUES DES SEGMENTS [SMALL (BOYS SCHOOL] ET [(SMALL BOYS) SCHOOL])

Une représentation équivalente sous forme d'arbres logiques permet de distinguer la structure de ces deux segments. Elle est donnée à la figure 1. On y voit que le rôle des parenthèses dans la représentation précédente est joué par les *sommets* de l'arbre. De même, on remarque que lorsqu'un système de parenthèses est inclus dans un autre, le sommet correspondant au premier système est *dominé* par le sommet correspondant au second. Il y a donc identité logique entre les deux modes de présentation.

Mais il est clair que, pour rendre compte de la syntaxe des deux expressions, il faut encore *classer* les systèmes de parenthèses hiérarchisées. En effet, dans [(small boys) school], les parenthèses « (...) » isolent une composante du « mot composé » représenté par l'ensemble de l'expression. En revanche, dans [small (boys school)], les parenthèses « (...) » isolent un mot composé à l'intérieur d'une expression qui n'est pas elle-même un mot composé. Une manière de rendre compte de ces distinctions est de classer les systèmes de parenthèses des différents niveaux selon la nature grammaticale des composantes qu'ils contiennent. Nous ne pouvons évidemment rentrer dans la description détaillée de cette procédure. Il suffit, pour l'intelligence de la suite, d'en comprendre le principe.

En résumé, et de manière très schématique, on dira donc que la description structurelle d'une expression consiste : 1. à analyser cette expression en composantes; 2. à associer aux composantes une hiérarchie de systèmes de parenthèses; 3. à classer les systèmes de parenthèses. Si on préfère la représentation par les arbres logiques, on dira qu'il s'agit d'associer un arbre à un segment et de classer les sommets de cet arbre. Ainsi la description structurelle du message « small boys school » (= « petite école de garçons ») sera : $[_B$ small $(_A$boys school$)_A]_B$. Par contraste, lorsque le message signifie « école pour jeunes garçons », on lui associera la description structurelle : $[_A$ $(_A$ small boys$)_A$ school$]_A$.

Nous sommes maintenant en mesure d'énoncer les règles générales qui permettent de déduire l'ensemble des faits d'accentuation attachés aux exemples choisis [5].

Règle a. — Il s'agit d'une règle de fait, valable sous des conditions très générales. Elle s'énonce : un nom simple ou composé est généralement accentué en position initiale.

Règle b. — Cette règle est dite « de l'ajustement de l'accent ». Supposons que nous ayons décomposé une expression telle que « John's black board eraser » en trois composantes, sous la forme {John's [(black board) eraser]}. Dans cet exemple, [(black board) eraser] est un mot composé. On peut donc classer dans la même catégorie des parenthèses « (...) », qui isolent la composante « black board », et les crochets « [...] », qui isolent la composante « black board eraser ». Nous désignerons arbitrairement cette catégorie par l'indice *A*. On écrira donc : $[_A$ $(_A$ black board$)_A$ eraser$]_A$.

Dans un cas comme celui-là, la règle *b* énonce que lorsque deux systèmes de parenthèses emboîtées de même catégorie sont observés, le premier accent principal est dominant et abaisse les autres d'un degré. Considérons l'expression $[_A$ $(_A$ black board$)_A$ eraser$]_A$. En vertu de la règle *a* la composante $(_A$ black board$)_A$ est accentuée en position initiale. Quant au terme « eraser », il est accentué sur le « a ». On peut donc associer à l'expression l'accentuation provisoire : $[_A$ $(_A$ bl$\overset{1}{\text{a}}$ck bo$\overset{2}{\text{a}}$rd$)_A$ er$\overset{1}{\text{a}}$ser$]_A$. Mais, par application de la règle *b*, l'accent de « black » domine et abaisse les autres accents d'un degré. D'où l'accentuation $[_A$ bl$\overset{1}{\text{a}}$ck bo$\overset{3}{\text{a}}$rd er$\overset{2}{\text{a}}$ser$]_A$.

Règle c. — Pour restituer l'accentuation correspondant à l'ensemble de l'expression « John's black board eraser », il faut introduire une nouvelle règle. En effet, alors que les parenthèses incluant, d'une part, « black board », d'autre part, « black board eraser » sont de même type (type *A*), on ne peut considérer que les accolades « {...} » soient de même type que les crochets « [...] ». L'expression complète n'est pas un nom composé. La règle *b* n'est donc pas applicable pour obtenir la suppression des crochets.

Sans entrer dans les détails, nous associerons à l'expression complète la représentation structurelle : $\{_B$ John's $[_A$ $(_A$ black board$)_A$ eraser$]_A\}_B$. La règle *c* — que nous stylisons — énonce alors que, lorsque plusieurs accents principaux ont été définis à l'intérieur de systèmes de parenthèses de types différents, le dernier accent principal est dominant et abaisse les autres d'un degré.

Reprenant notre exemple, nous avons — avant la suppression des crochets — l'accentuation provisoire : $\{_B$ $\overset{1}{\text{John's}}$ $[_A$ $\overset{1}{\text{black}}$ $\overset{3}{\text{board}}$ $\overset{2}{\text{eraser}}]_A\}_B$. Mais, en vertu de la règle *c*, on peut supprimer les crochets et obtenir l'accentuation de l'expression complète, à condition d'abaisser tous les accents d'un degré à l'exception du *dernier* accent principal. Finalement, on obtient donc l'accentuation : $\{_B$ $\overset{2}{\text{John's}}$ $\overset{1}{\text{black}}$ $\overset{3}{\text{board}}$ $\overset{4}{\text{eraser}}\}_B$.

Cette expression décrit l'accentuation effectivement appliquée par une personne de langue anglaise à ce segment.

Évidemment, les règles que nous venons de décrire seraient de peu d'utilité si elles permettaient seulement d'analyser l'accentuation de « John's black board eraser ». Leur intérêt provient de ce qu'elles rendent compte, au contraire, de faits d'accentuation très divers.

Considérons, par exemple, le message « small boys school ». Lorsqu'il signifie « école pour petits garçons », il est, comme on l'a vu, accentué de la manière suivante : ($\overset{3}{\text{small}}$ $\overset{1}{\text{boys}}$ $\overset{3}{\text{school}}$). Lorsqu'il signifie « petite école de garçons », il est accentué sous la forme ($\overset{2}{\text{small}}$ $\overset{1}{\text{boys}}$ $\overset{3}{\text{school}}$). Il est facile de voir que ces faits résultent des règles précédentes.

Considérons d'abord le cas où l'expression signifie

« école pour petits garçons » et est, en conséquence, associée à la description structurelle $[_A$ $(_A$ small boys$)_A$ school$]_A$. Dans ce cas, par application de la règle *c* à « small boys », le premier « cycle » de transformation donne l'accentuation provisoire : $[_A$ $(_A$ $\overset{2}{\text{small}}$ $\overset{1}{\text{boys}})_A$ $\overset{1}{\text{school}}]_A$. En effet, on peut considérer la description structurelle de « small boys » comme de type $[_B$ small $(_A$ boys$)$ $_A]_B$. Structurellement, l'expression « small boys » est, en effet, de même type que l'expression $\{_B$ John's $[_A$ black board eraser$]$ $_A\}_B$.

On obtient ensuite, par application des règles *a* et *b*, le second cycle de transformation : $(_A$ $\overset{3}{\text{small}}$ $\overset{1}{\text{boys}}$ $\overset{2}{\text{school}}).{}_A$ En effet, le segment $(_A \ldots)_A$ étant un nom composé, c'est le *premier* accent d'intensité 1 qui est dominant. Par la règle *b*, il abaisse les autres d'un degré.

Enfin, par application d'une règle générale non énoncée ci-dessus, on obtient le dernier cycle, qui restitue l'accentuation reçue : $(\overset{3}{\text{small}}$ $\overset{1}{\text{boys}}$ $\overset{3}{\text{school}})$.

Considérons maintenant le cas où la même expression signifie : « petite école de garçons ». Dans ce cas, la description structurelle associée peut être schématisée de la façon suivante : $[_B$ small $(_A$ boys school$_A)]_B$. Par application de la règle *a* à la composante « boys school », on obtient le premier cycle de transformation : $[_B$ $\overset{1}{\text{small}}$ $(_A$ $\overset{1}{\text{boys}}$ $\overset{2}{\text{school}})_A]_B$.

En effet, l'expression $(_A \ldots)_A$ étant un nom composé est accentuée en position initiale. Les deux systèmes de parenthèses étant de type différent, comme le marquent les indices qui leur sont respectivement affectés, la suppression des parenthèses peut intervenir par application de la règle *c*. Le second cycle de transformation conduit donc à l'accentuation : $[_B$ $\overset{2}{\text{small}}$ $\overset{1}{\text{boys}}$ $\overset{3}{\text{school}}]_B$, qui correspond à l'accentuation effectivement utilisée par une personne de langue anglaise : ($\overset{2}{\text{small}}$ $\overset{1}{\text{boys}}$ $\overset{3}{\text{school}}$).

Pour montrer la généralité de la théorie de Chomsky-Miller, nous examinerons encore quelques exemples, après avoir introduit une quatrième règle générale, relative au phénomène déjà considéré de la « réduction de la voyelle ».

Règle d. — Une voyelle est réduite si elle n'a jamais reçu d'accent principal au cours d'aucun cycle de transformation ou si les cycles de transformation successifs ont ramené l'accent principal qu'elle portait à un accent de *troisième* ordre, et dans certaines circonstances, de *deuxième* ordre.

Cette règle, ajoutée aux règles précédentes, permet d'analyser, par exemple, la différence de prononciation apparemment inexplicable entre des mots comme « compensation » et « condensation » ou « torrent » et « torment ». Le premier mot de chacun de ces couples est caractérisé par une réduction de la voyelle « e », tandis que la même voyelle est discrètement audible dans « condensation » et dans « torment ».

Analysons, par exemple, le mot « condensation » selon les principes précédents. Comme il existe un verbe « to condense », on peut considérer que ce mot est une synthèse de deux composantes : « condens- » et « -ation ». Sans entrer dans le détail de l'analyse, on peut donc représenter la structure du mot « condensation » selon les principes qui nous ont servi à décrire la structure, non de mots, mais d'ensembles de mots. On associera donc à « condensation » la description structurelle $[_B\ (_A\ \text{condens})_A\ \text{ation}]_B$.

Le verbe « condense » est accentué sur la seconde syllabe. Le premier cycle de transformation est donc :

$$[_B\ (_A\ \overset{2}{\text{con}}\overset{1}{\text{dens}})_A\ \overset{1}{\text{ation}}]_B.$$

Mais, en vertu de la règle *c*, on peut supprimer la parenthèse, à condition d'abaisser d'un degré tous les accents à l'exception du dernier accent dominant. D'où la prononciation : $({}_B\ \text{c}\overset{3}{\text{o}}\text{nd}\overset{2}{\text{e}}\text{ns}\overset{1}{\text{a}}\text{tion})_B$. Cela dit, en vertu de la règle *d*, la voyelle « e » est non réduite. En effet, elle a porté un accent principal au cours du premier cycle de transformation. En outre, cet accent n'a pas ensuite été réduit jusqu'au troisième degré.

Considérons, en revanche, le mot « compensation ». Il ne dérive pas d'un verbe tel que « compense ». Il est donc indécomposable et on doit lui associer la description structurelle $({}_A\ \text{compensation})_A$. L'accentuation définitive est donnée cette fois par un cycle de transformation unique, correspondant à l'application de la règle familière selon laquelle les mots terminés en « -ation » portent l'accent principal sur le « a » de cette désinence. Ce cycle unique est représenté par : $({}_A\ \text{compens}\overset{1}{\text{a}}\text{tion})_A$. Mais, en vertu de la règle *d*, on sait que lorsque la voyelle « e » n'a porté l'accent principal (accent d'intensité 1) dans aucun cycle de transformation, elle est *réduite*. L'apparente bizarrerie qui résulte de la différence de prononciation entre « condensation » et « compensation » se trouve ainsi expliquée. Il n'y a pas d'un côté application d'une règle générale et de l'autre côté exception : la prononciation des deux mots est au contraire déduite de règles générales.

Les considérations qui précèdent donnent, nous l'espérons, une idée suffisamment précise de la théorie structurale de l'accentuation de l'anglais pour qu'il soit possible d'analyser à travers cet exemple la signification de la notion de structure dans le type de contexte qui nous intéresse ici.

Si on considère, tout d'abord, *l'objet* de l'analyse, on voit qu'il s'agit des faits d'accentuation associés à n'importe quel segment parlé de la langue anglaise. En théorie, il s'agit donc d'expliquer l'accentuation d'un segment quelconque de l'anglais. En pratique, on ne peut évidemment vérifier que la théorie explique *tous* les faits d'accentuation : certains de ces faits — qui correspondent aux segments jamais encore prononcés — ne peuvent par définition être observés. On se contentera donc de vérifier qu'elle explique un nombre de faits suffisamment grand pour entraîner la conviction.

Cette réserve faite, on peut considérer que l'objet élémentaire de l'analyse est représenté par la petite unité de discours à laquelle nous avons donné le nom de « segment ». En d'autres termes, s'il est bien vrai qu'une théorie de l'accentuation doit — au moins en principe — rendre compte de la totalité des segments possibles, il n'en demeure pas moins que chaque analyse particulière porte sur un segment particulier. Ce segment peut être une phrase (« they are cooking apples »), une expression (« John's black board eraser ») ou un mot (« compensation »). Pour qu'il relève de la théorie, il faut seulement qu'on puisse y distinguer un ensemble de faits d'accentuation conçus comme interdépendants.

L'objet de l'analyse est donc un système. De plus, il est un système défini. Ainsi, dans l'expression « small boys school » (« petite école de garçons »), le système est celui des trois faits d'accentuation résumés par la représentation ($\overset{2}{\text{small}}$ $\overset{1}{\text{boys}}$ $\overset{3}{\text{school}}$).

Nous appellerons dans la suite *caractéristiques apparentes* d'un système l'ensemble des faits qui définissent ce système.

En quoi consiste alors l' « analyse structurale » de

Chomsky-Miller? En un système de propositions ou *axiomes* à partir desquels il est possible d'obtenir par un *calcul* [6] les *caractéristiques apparentes* de tout système élémentaire. Rappelons toutefois qu'il s'agit là d'une définition de principe et que, dans la pratique, on se contentera de vérifier que les propositions fondamentales permettent de déduire les règles d'accentuation — non de tous les segments — mais d'un nombre de segments aussi grand que possible.

Plus précisément, désignons par S un système — par exemple le mot « compensation » ou l'expression « John's black board eraser », etc. D'autre part, désignons par A le système des axiomes ou *axiomatique* dont les quatre règles analysées ci-dessus sont un échantillon. Représentons en outre la description structurelle d'un système S par le symbole *Str* (S). Dans le cas de l'expression « John's black board eraser », cette description structurelle est représentée par l'expression $\{_B$ John's $[_A$ $(_A$ black board$)_A$ eraser$]_A\}_B$. Enfin, nous désignerons par *App* (S) les caractéristiques apparentes du système S. Dans le cas de l'exemple, *App* (S) est représenté par l'expression ($\overset{2}{\text{John's}}$ $\overset{1}{\text{black}}$ $\overset{4}{\text{board}}$ $\overset{3}{\text{eraser}}$). *App* ($S$) résume, en d'autres termes, les quatre propositions : « Dans l'expression entre crochets, *John's* porte un accent d'intensité 2, *black* l'accent principal d'intensité 1, etc. »

On remarque alors que la réunion de A et de *Str* (S) définit un *calcul*.

Comme on l'a vu, les étapes de ce calcul sont matérialisées par une suite de cycles de transformation qui permettent d'éliminer successivement les parenthèses associées à la description structurelle en appliquant les règles de A. Quant aux résultats du calcul défini par A et *Str* (S), ils coïncident précisément avec *App* (S). En d'autres termes, l'ensemble des caractéristiques apparentes du système S est obtenu par déduction à partir de A et de *Str* (S).

En résumé, on peut donc écrire :

$$(1) \qquad A + Str\,(S) \xrightarrow{\text{Calcul}} App\,(S)$$

On peut faire, à propos de cette formule, un certain nombre de remarques.

Tout d'abord, notons que A est implicitement défini par Chomsky et Miller de telle manière que la formule (1) soit vérifiée *quel que soit* S. En d'autres termes, étant donné l'axiomatique A et la description structurelle d'un segment S quelconque, il faut que A et *Str* (S) définissent un calcul qui permette de déduire les caractéristiques apparentes du système, soit *App* (S).

D'autre part, la structure *Str* (S) d'un système S est relative à A. En effet, la formulation même des axiomes contenus dans A suppose que la description structurelle *Str* (S) obéisse à un certain nombre de règles formelles. En d'autres termes, la syntaxe de A implique que *Str* (S) obéisse, pour sa part, à une syntaxe déterminée. En particulier, on voit que la description structurelle doit analyser un système sous la forme d'un ensemble de composantes classées pour que les règles de A soient applicables. On ne peut *calculer* les caractéristiques apparentes du système S que si la description structurelle de S est formulée dans un langage convenable. Cela indique clairement que la structure d'un segment — que nous symbolisons par *Str* (S) — n'est telle que par rapport à A. Par conséquent, on ne peut considérer qu'une description structurelle comme $\{_B$ John's

$[_A\ (_A$ black board$)_A$ eraser$]_A\}_B$ représente la « structure » de l'expression en un sens absolu ou, si on préfère un autre langage, qu'elle en traduise l'essence. Tout ce qu'on peut dire, c'est qu'une telle description structurelle, lorsqu'elle est associée à l'axiomatique A, permet de reproduire exactement l'accentuation effective de ce segment.

Cela ne veut évidemment pas dire que toute théorie — c'est-à-dire tout ensemble $A + Str\ (S)$ — soit également acceptable. Il est clair, en effet, que si l'ensemble des segments expliqués par une théorie T_1 est compris dans l'ensemble des segments expliqués par T_2, on préférera T_2. Ce qui revient à dire qu'on préférera une théorie plus *générale*. En outre, il faut remarquer qu'à un système S, il est possible d'associer plusieurs ensembles tels que $App\ (S)$. Considérons par exemple la phrase « they are cooking apples » (« ils sont en train de faire cuire des pommes »). Un premier ensemble de caractéristiques apparentes est le système des degrés d'accentuation attachés à chaque syllabe. Mais on peut en imaginer d'autres; par exemple, l'ensemble des transformations grammaticales correctes de la phrase. Dans ce cas, un des éléments de $App\ (S)$ sera la proposition « (are they cooking apples?) est une phrase grammaticalement correcte ».

Supposons donc qu'une première théorie $T_1 = A_1 + Str_1\ (S)$ explique un système de caractéristiques apparentes $App_1\ (S)$ attaché à un segment S et qu'une seconde théorie $T_2 = A_2 + Str_2\ (S)$ explique un système $App_2\ (S)$. Pour fixer les idées, on peut reprendre l'exemple précédent et imaginer que S représente le segment « they are cooking apples », que $App_1\ (S)$ soit l'accentuation de S et $App_2\ (S)$ l'ensemble des transformations grammaticalement correctes de S.

Dans ce cas, il est évidemment préférable, d'un point de vue scientifique, que Str_1 (S) soit confondu avec Str_2 (S). En d'autres termes, on préférera une description structurelle unique à des descriptions variables avec le système de caractéristiques expliquées. Ce qu'on peut encore exprimer symboliquement en écrivant qu'on préférera une théorie générale θ_1 telle que :

$$A_1 + Str\,(S) \longrightarrow App_1\,(S),\ A_2 + Str\,(S) \longrightarrow App_2\,(S)\ldots,$$

$$A_n + Str\,(S) \longrightarrow App_n\,(S)$$

à une théorie générale θ_2 telle que :

$$A_1 + Str_1\,(S) \longrightarrow App_1\,(S),\ A_2 + Str_2\,(S) \longrightarrow App_2\,(S)\ldots,$$

$$A_n + Str_n\,(S) \longrightarrow App_n\,(S).$$

Dans le cas de la théorie θ_1, la description structurelle est unique, quel que soit le système de caractéristiques apparentes qu'on cherche à expliquer. Dans le cas de la théorie θ_2, cette description est multiple et dépend du système de caractéristiques apparentes qu'on veut analyser. Pour résumer, nous dirons que la théorie θ_1 est plus *compréhensive* que θ_2.

Ces remarques ont une grande importance pour analyser les résonances psychologiques du concept de *description structurelle.* En effet, bien que la description structurelle d'un segment n'ait de signification qu'à l'intérieur de la théorie $A + Str\,(S)$ et ne puisse en aucune manière être conçue comme *absolue*, il n'en demeure pas moins qu'il est possible, en appliquant les critères de *généralité* et de *compréhensivité* définis plus haut, de préférer une description structurelle à une autre. Dans le cas de la théorie de Chomsky et Miller, on a des raisons de croire que la description structurelle des segments sous forme d'arbres logiques ou de systèmes de parenthèses classées est appropriée dans la mesure où elle conduit à une théorie féconde.

A la limite, on conçoit qu'il soit possible de montrer qu'une description structurelle est meilleure que n'importe quelle autre. Mais cette épreuve étant rejetée au terme de la recherche, une description structurelle garde nécessairement le statut d'une hypothèse scientifique, c'est-à-dire d'une proposition tenue provisoirement comme valide, mais que des faits nouveaux peuvent venir infirmer. Bref, même si on se place dans les conditions les plus favorables et si on suppose par la pensée qu'une description structurelle est meilleure que toutes les autres, il n'en demeure pas moins que la notion de structure reste quand même séparée de la notion d'essence par un abîme infranchissable.

Considérons enfin une analyse comme celle de l'accentuation du message « small boys school ». La théorie précédemment exposée montre qu'une personne désireuse de transmettre le message « petite école de garçons » se comporte *comme si* elle appliquait le calcul défini par $A + Str\ (S)$. Tout se passe, en d'autres termes, comme si l'accentuation qu'elle impose au message était le résultat du calcul défini par la théorie $A + Str\ (S)$. Mais situons-nous maintenant du point de vue, non de l'émetteur, mais du récepteur du message. Dans ce cas, ce qui est connu — plus exactement : ce qui est *perçu* — ce sont les caractéristiques apparentes du système, et le problème que doit résoudre le récepteur pour comprendre la signification du message est, cette fois, de déduire les caractéristiques structurelles des caractéristiques apparentes. En appliquant cette remarque à notre exemple, on peut concevoir le déchiffrement du message « small boys school » comme un calcul qui permettrait de déduire la description structurelle $[_B$ small $(_A$ boys school$)_A]_B$ de la hiérarchie des accents.

Bien que cet aspect de l'analyse ne soit pas évoqué par Chomsky et Miller (au moins dans les textes auxquels nous nous référons ici), il est clair qu'une théorie de l'accentuation doit permettre de comprendre non seulement comment un message est correctement *codé* par l'émetteur, mais comment il est correctement *décodé* par le récepteur.

En d'autres termes, le problème est de savoir si la « structure » d'un système peut être déduite sans ambiguïté de la connaissance de l'axiomatique A et des caractéristiques apparentes $App\ (S)$. Dans les exemples cités ici, l'inversion s'applique. On peut, en effet, démontrer à partir de A que l'accentuation « $\overset{3}{\text{small}}\ \overset{1}{\text{boys}}\ \overset{3}{\text{school}}$ » n'est pas compatible avec la structure $[_B$ small $(_A$ boys school$)_A]_B$. Nous résumerons ces considérations en disant que, dans le contexte de l'exemple présent, la notion de structure est définie, non seulement par la formule (1), mais par la formule complémentaire :

$$A + App\ (S) \xrightarrow{\text{Calcul}} Str\ (S) \tag{2}$$

Définition provisoire de la notion de structure dans le contexte d'une définition effective.

L'hypothèse que nous essaierons de démontrer dans ce chapitre et dans le suivant est que les formules (1) et (2) constituent, d'une certaine manière, la définition fondamentale de la notion de structure dans le contexte des définitions effectives. Nous disons bien « d'une certaine manière », car, comme on le verra, il s'agit là d'une définition idéale qu'on ne peut toujours appliquer textuellement.

Un corollaire de cette définition est que la structure d'un objet ne peut être définie, dans ce type de contexte, à partir de notions comme celles d' « arrangement des parties d'un ensemble », de « totalité non réductible à la somme de ses parties », de « système de relations », etc. Bref, la définition de la notion de structure ne peut, dans ce cas, être obtenue par référence à ses associations synonymiques.

Elle ne peut être comprise qu'à l'intérieur d'un langage scientifique. Comme on le voit par les formules associées à sa définition, ce langage comporte les « mots » S (système), A (axiomatique), *App* (S) (caractéristiques apparentes du système), *Calcul*, *Str* (S) (structure du système S) et les relations « $+$ » et « $\longrightarrow$ ». L'expression $x + y$ signifie qu'on considère l'ensemble des propositions contenues dans x et dans y. La relation $x \longrightarrow y$ signifie qu'on peut déduire y de x.

Ce langage étant donné, la notion de structure est définie par les formules (1) et (2). En d'autres termes, on peut définir l'analyse structurale d'un système comme une théorie qui permet d'en déduire les caractéristiques apparentes (première formule). Inversement on doit pouvoir, à partir de la théorie et des caractéristiques apparentes, déduire la structure. Comme nous l'annoncions au début, la notion de structure est donc liée à une classe de théories particulières auxquelles on peut donner le nom de « théories des systèmes [7] ».

Nous aurons l'occasion de revenir abondamment sur ces hypothèses dans les pages qui suivent. Néanmoins, il est bon de faire dès maintenant un certain nombre de remarques.

Comme nous le disions, la définition de la notion de structure, telle qu'elle est résumée par nos deux formules, est une définition idéale. On trouvera des cas où la formule (1) est reléguée et où la définition de la notion de structure se réduit à la formule (2). Nous constaterons au chapitre suivant, que cette situation caractérise la phonologie structurale de Jakobson, de Harris et de maints autres auteurs.

Nous verrons en outre que l'axiomatique A, indispensable à la définition de la notion de structure dans le contexte des définitions effectives, peut avoir des caractéristiques variables d'un exemple à l'autre. Dans l'exemple de Chomsky-Miller, cette axiomatique est en principe *générale*. En d'autres termes, on peut dans ce cas préciser la formule (1) et énoncer : « $A + Str\ (S) \xrightarrow{\text{Calcul}} App\ (S)$, *pour tout* S. » Naturellement, la clause « pour tout S » est idéale : l'analyse structurale de Chomsky et Miller n'a pas été et ne peut être démontrée effectivement valide pour tous les S. Cependant, son ambition de généralité est inscrite dans sa logique même. Dans d'autres cas, l'axiomatique est au contraire résolument réduite dans ses applications à des cas particuliers.

Cette distinction n'est d'ailleurs qu'une des distinctions possibles. De façon générale, les théories associées à la notion d' « analyse structurale » peuvent, comme toute théorie, être plus ou moins convaincantes et donner plus ou moins prise à la vérification et à la preuve. Il peut donc résulter de ces différences le sentiment que le mot « structure » n'a pas un sens identique d'un contexte à l'autre, bien que sa définition puisse, dans tous les cas, être ramenée à nos deux formules proprement précisées.

Remarquons enfin qu'il n'est guère surprenant que la notion de structure évoque dans le contexte des définitions effectives les mêmes *associations* synonymiques et les mêmes *oppositions* que dans le contexte des définitions intentionnelles. Cette remarque ne contredit nullement le fait que ces associations et oppositions ne jouent aucun rôle dans le cas d'une définition effective de la notion de structure. Elles sont, plus précisément, des conséquences secondaires de cette définition.

Considérons, par exemple, l'opposition (structure / apparence). Il suffit de considérer les formules (1) et (2) pour voir que cette opposition découle naturellement de la logique de l'analyse structurale. En effet, l'analyse structurale est bien, d'une certaine manière, une théorie des apparences, puisque l'axiomatique et la description structurelle permettent de reconstituer les caractères phénoménaux du système considéré. En outre, l'exemple de Chomsky et Miller évoque naturellement les associations synonymiques (structure-cohérence), (structure-totalité), (structure-totalité non réductible à la somme de ses parties), (structure-logique interne), etc. Que ces associations soient attestées dans ce contexte résulte simplement du fait que les phénomènes d'accentuation caractéristiques d'un segment peuvent tous — en principe du moins — être déduits d'une théorie générale. En conséquence, l'analyse structurale a pour effet de rendre *cohérents* des faits qui donnent ou peuvent donner l'impression de l'arbitraire et du contingent.

En outre, l'analyse structurale suppose qu'on tienne compte de tous les éléments de S et même, en principe, de l'ensemble des systèmes qui appartiennent à une langue. En conséquence — et ceci résulte encore des formules (1) et (2) — un ensemble de caractéristiques apparentes ne peut être expliqué que comme une *totalité.* Par définition, une analyse structurale est l'analyse de l'ensemble des caractéristiques apparentes d'un système. Il en résulte qu'elle appréhende toujours son objet en tant que totalité.

On voit donc dès maintenant que l'évocation des associations synonymiques et oppositions du mot structure n'est pas propre à l'exemple particulier examiné ici, mais dérive de la définition de la notion de structure contenue dans les formules (1) et (2).

Deuxième exemple de type 1 : *l'analyse des structures de la parenté.*

Notre second exemple de structure de type 1 est emprunté à la tradition de l'analyse des structures de la parenté. L'intérêt d'introduire cet exemple est de faire apparaître qu'une structure de type 1 peut être, selon les cas, associée à un modèle mathématique ou non. Dans le cas de la théorie de l'accentuation de l'anglais de Chomsky et Miller, la théorie déductive est de type non mathématique. Dans l'exemple que nous examinerons maintenant, la notion de structure est associée à un modèle mathématique.

Notons au passage qu'il serait du plus haut intérêt d'analyser de façon systématique les travaux relatifs aux structures de la parenté. On y trouverait, à côté des modèles mathématiques dont nous présentons un exemple ici, des analyses qui, comme celles de Lévi-Strauss lui-même, procèdent plutôt par la voie de la déduction logique que par celle des modèles. Il est hors de doute, en effet, que les recherches mathématiques suscitées par l'œuvre de Lévi-Strauss et associées aux noms de André Weil, de Bush, de Harrison White et d'autres, n'embrassent — sans que cela réduise leur intérêt — qu'une faible partie des faits présentés et analysés dans les *Structures élémentaires de la parenté* [8].

Il est bon que le lecteur se souvienne de ces remarques en lisant l'exposé qui suit. Il y trouvera le canevas d'une analyse mathématique bien connue, celle de Bush. Mais il se souviendra que, si la notion de « structure de la parenté » est toujours liée à une théorie hypothético-déductive des systèmes de parenté, on n'a pu donner à cette théorie la forme d'un modèle mathématique que dans des cas relativement particuliers.

Ici encore, l'objet de l'analyse est *défini :* il s'agit de l'ensemble des règles interdisant ou autorisant le mariage en fonction des relations de parenté. Dans une société donnée, ces règles sont peu nombreuses. Formellement, l'objet de l'analyse est donc de même nature que celui de l'exemple précédent. On verra que la définition par construction de la notion de structure qu'on trouve ici est — elle aussi — indistincte de celle de l'exemple précédent, bien que le domaine d'application soit évidemment très différent.

L'origine psychologique des recherches sur les

systèmes de parenté réside — comme dans le cas de la théorie des langues — dans le sentiment mixte de cohérence et d'incohérence provoqué par l'objet.

Ainsi, si on examine les règles du mariage entre cousins au premier degré dans la société Kariera, on constate que le mariage avec la fille du frère du père est interdit, tandis que le mariage avec la fille de la sœur du père ou avec la fille du frère de la mère est autorisé. On peut symboliser ces règles à l'aide

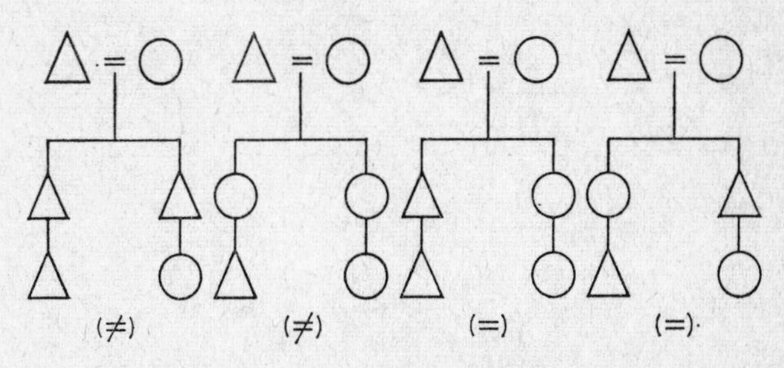

FIG. 2. — LES RÈGLES DU MARIAGE ENTRE COUSINS AU PREMIER DEGRÉ DANS LA SOCIÉTÉ KARIERA

des symboles habituellement utilisés. Le signe « Δ » représente un individu mâle, le signe « O » un individu femelle; le signe « Δ = O » représente le couple conjugal. De plus, nous notons par « (=) » le fait que le mariage entre deux individus soit autorisé et par « (≠) » le fait qu'il soit interdit. Les règles du mariage entre cousins au premier degré dans la société Kariera sont représentées à la figure 2.

Le sentiment d'arbitraire [9] évoqué par ces règles est encore confirmé si on les compare à celle d'une autre société, la société Tarau. Dans ce cas, tous les types de mariage entre cousins sont prohibés, à l'exception du mariage avec la fille du frère de la mère. Les règles du mariage entre cousins au premier degré dans la société Tarau sont représentées à la figure 3.

Remarquons incidemment que le sentiment de bizarrerie provoquée par de tels faits n'est — dans ce cas comme dans le précédent — que la contrepartie de l'inadéquation des théories classiques, qu'il s'agisse de la grammaire classique dans le cas des phénomènes d'accentuation ou de l'ethnographie préstructuraliste dans le cas des règles du mariage.

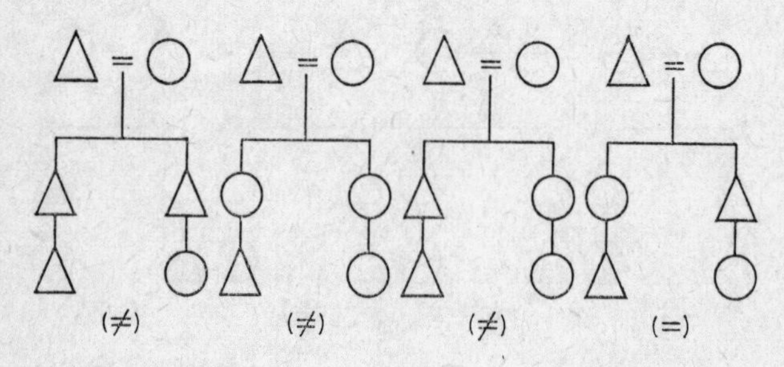

FIG. 3. — LES RÈGLES DU MARIAGE ENTRE COUSINS AU PREMIER DEGRÉ DANS LA SOCIÉTÉ TARAU

Ici encore, l'explication des systèmes de règles du mariage peut être obtenue à partir d'une axiomatique. Les axiomes, dont nous empruntons la formulation à Kemeny, Snell et Thompson (24) sont les suivants :

a) Chaque membre d'une société *S* appartient à un type de mariage.

b) Deux individus peuvent se marier si et seulement si ils appartiennent au même type de mariage.

c) Le type de mariage d'un individu est déterminé exclusivement par le sexe de cet individu et par le type de mariage de ses parents.

d) Deux garçons ou deux filles dont les parents sont de type différent sont eux-mêmes de type différent.

e) L'autorisation et l'interdiction de mariage entre deux individus de sexe différent dépendent seulement de la relation de parenté dans laquelle ils se trouvent.

f) Aucun homme ne peut épouser sa sœur.

g) Il est toujours possible à certains descendants de deux individus de se marier entre eux.

L'origine de ces axiomes est double. Les axiomes *a*, *b*, *c*, *d* et *e* sont en fait la traduction formelle d'observations ethnographiques. Dans les sociétés considérées, les règles d'autorisation et d'interdiction du mariage ne sont pas énoncées en fonction de la relation de parenté, mais par le biais d'une classification des individus, cette classification dépendant de la classification des parents. L'interdiction de l'inceste est alors édictée par l'énoncé de compatibilités ou d'incompatibilités entre classes du point de vue du mariage. L'axiome *g* peut être considéré comme un axiome fonctionnel. En effet, dans le cas où on exclut un système de castes, il faut que la liberté de mariage soit donnée à certains descendants de deux individus. Sinon, on aboutirait à un morcellement de la société en une collection de familles. Remarquons d'ailleurs que l'axiome *e*, bien que traduisant des observations ethnographiques, répond aussi à une exigence fonctionnelle : il indique que l'autorisation et l'interdiction de mariage entre deux individus de sexe opposé dépendent seulement de la *relation de parenté* dans laquelle ils se trouvent, mais non de leur *type*. En d'autres termes, il faut, étant donnée une relation de parenté bien définie entre deux individus de sexe opposé, ou que ces individus soient toujours autorisés à se marier ou qu'il leur soit toujours interdit de se marier, quel que soit le type de mariage de chacun d'eux. Mais, comme en vertu de l'axiome *b* l'autorisation ou l'interdiction de mariage résulte automatiquement de l'identité ou de la différence des types, il suit que deux individus liés par une relation de parenté définie doivent ou être de même type — quel que soit ce type — ou être toujours de type différent. En d'autres termes, il doit être impossible de rencontrer des situations où, pour une même relation de parenté, *Ego* et *Alter* pourraient par exemple ou être tous deux de type t_1 ou être respectivement de type t_2 et de type t_3. S'il n'en était pas ainsi, il en résulterait une complication inextricable de la législation en matière d'inceste, puisque l'autorisation et l'interdiction de mariage dépendraient, non seulement du type de mariage, mais de la relation de parenté. Or la classification en types de mariage remplit une fonction importante dans des sociétés sans écriture : celle d'exprimer en termes simples une législation qui, si elle était exprimée à partir des relations de parenté, serait d'une complexité infinie.

Admettons donc cette axiomatique et supposons que les règles de transmission des types soient celles du tableau II : on y voit que, dans la société considérée, quatre types de mariage sont définis. Lorsque les parents sont de type t_1, le fils est de type t_3 et la fille de type t_4; lorsque les parents sont de type t_2, le fils est de type t_4 et la fille du type t_3 etc.

On peut vérifier que ces règles de transmission sont compatibles avec les axiomes. Ainsi, le fait qu'on parle du « type *des* parents » est conforme à l'axiome *b*, puisque deux individus ne peuvent se marier que s'ils appartiennent au même type de mariage. En outre, le tableau montre que le type de mariage de l'enfant est bien déterminé exclusivement par son sexe et par le type de ses parents. Il est donc conforme

TABLEAU II. — RÈGLES DE TRANSMISSION DES TYPES DANS LA SOCIÉTÉ KARIERA

Type des parents	Type du fils	Type de la fille
t_1	t_3	t_4
t_2	t_4	t_3
t_3	t_1	t_2
t_4	t_2	t_1

à l'axiome *c*. On vérifie de même qu'il satisfait à l'axiome *d*. En effet, les types de mariage du fils et de la fille constituent des permutations des types de mariage des parents. Il en résulte que des parents de type différent engendrent des enfants de type différent. L'axiome *f* est, lui aussi, compatible avec le tableau; le type de la fille étant dans tous les cas différent du type du fils, un homme appartient toujours à un type différent de celui de sa sœur et ne peut, en vertu de l'axiome *b*, l'épouser. On peut enfin montrer que le tableau satisfait les axiomes *e* et *h*.

Examinons, en effet, la relation de parenté symbolisée par la figure 2 *a* et supposons que le couple des grands-parents symbolisé par la première ligne de la figure soit du type t_1. Leurs enfants mâles sont, en vertu du tableau 1, de type t_3. Mais le fils d'un individu de type t_3 est t_1 et la fille d'un individu de type t_3 est t_2. Il en résulte que, dans ce cas, un individu ne peut épouser la fille du frère de son père.

Le même raisonnement peut être appliqué aux cas où les grands-parents sont de type t_2, t_3 ou t_4. Dans tous les cas, un homme est toujours d'un type de mariage différent de celui de la fille du frère de son père. L'analyse — que le lecteur peut effectuer en détail s'il le désire — est résumée par la figure 4.

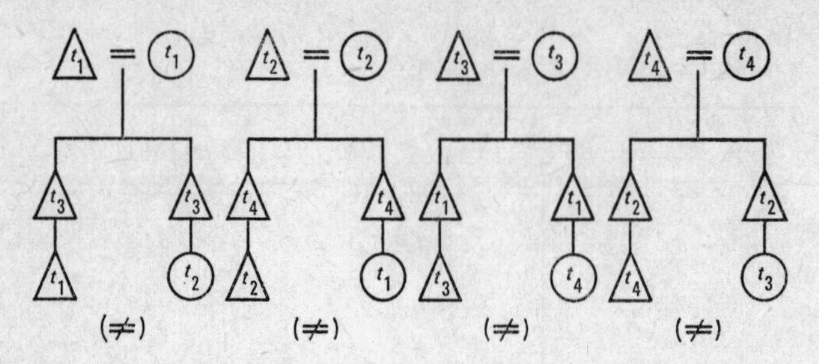

FIG. 4. — QUEL QUE SOIT LE TYPE DE MARIAGE DES GRANDS-PARENTS, LE MARIAGE D'UN HOMME AVEC LA FILLE DU FRÈRE DE SON PÈRE EST INTERDIT

On constaterait exactement de la même manière que le type de mariage symbolisé par la figure 1 *b* (mariage d'un homme avec la fille de la sœur de sa mère) est toujours interdit, quel que soit le type de ses grands-parents. En revanche, le mariage d'un homme avec la fille de la sœur de son père ou avec la fille du frère de sa mère est toujours autorisé, quel que soit le type des grands-parents.

Montrons-le à propos du mariage avec la fille de la sœur du père. Si les grands-parents sont de type t_1, le père est de type t_3 et la sœur du père de type t_4. L'*ego* est alors de type t_1, puisqu'il est issu d'un père de type t_3. Mais la fille de la sœur du père est également de type t_1, puisqu'elle est issue d'une mère de type t_4. Si les grands-parents sont de type t_2, on montre de même que l'*ego* et la fille de la sœur de son père sont tous deux de type t_2. Enfin, ils sont tous deux respectivement de type t_3 et t_4 lorsque les grands-parents sont eux-mêmes de types t_3 et t_4. Ainsi, quel que soit le type des grands-parents, le mariage d'un homme avec la fille de la sœur de sa mère est toujours autorisé dans une société caractérisée par les règles de transmission représentées au tableau II et par l'axiomatique décrite plus haut.

Les analyses précédentes montrent donc que le tableau II est effectivement compatible avec l'axiome *e*: deux individus de sexe opposé liés par une relation quelconque étant toujours, soit de même type, soit de type différent, indépendamment du type des grands-parents, il en résulte, en effet, que l'autorisation et l'interdiction du mariage dépendent bien de la seule relation de parenté.

On pourrait démontrer que l'axiome *e* est vérifié, non seulement à propos des cousins au premier degré, mais à propos de n'importe quel autre type de relation. Nous nous contenterons ici d'admettre ce résultat.

De même, nous nous contenterons d'indiquer par un exemple que l'axiome *g* est vérifié par le tableau II, bien que, là encore, une démonstration générale soit possible. Considérons, par exemple, la figure 4. Le mariage d'un homme avec la fille du frère de son père est interdit dans tous les cas, mais le mariage entre le fils de cet homme et la fille de cette femme est, dans tous les cas, autorisé. En effet, dans le cas de la figure 4 *a*, l'*ego* est de type t_1 et la fille du frère de son père de type t_2. Le fils de l'*ego* est donc de type t_3 et la fille de la fille du frère de son père également de type t_3. Dans le cas 4 *b*, les deux individus sont de type t_4. D'autre part, ils sont respectivement de type t_1 et t_2, dans le cas des relations symbolisées par les figures 4 *c* et 4 *d*. On voit donc sur cet exemple, d'une part, que certains descendants des individus représentés à la première ligne de la figure 4 peuvent, conformément à l'axiome *g*, se marier. De plus, on remarque sur ce nouvel exemple que le mariage entre le fils de l'*ego* et la fille de la fille du frère de son père est toujours autorisé et ne dépend donc, conformément aux exigences de l'axiome *e*, que de la nature de la relation de parenté.

Admettons donc, bien que nous n'ayons pas — encore une fois — fourni de démonstration rigoureuse de ce fait, que le tableau II est compatible avec l'ensemble des axiomes de *a* à *g*.

Mais l'important pour nous est de constater que l'axiomatique et les règles de transmission du tableau II définissent un *calcul* dont le résultat est l'énoncé d'un ensemble de règles d'autorisation et d'interdiction de mariage qui coïncident strictement avec celles que l'ethnographe observe dans la société Kariera.

Bien que les règles de transmission n'aient pas reçu de nom permettant de désigner leur fonction logique, il est clair qu'elles jouent un rôle identique à ce que nous avons appelé dans l'exemple précédent — suivant en cela la terminologie de Chomsky et Miller — la « description structurelle » du système S, expression abrégée sous la forme $Str\ (S)$. Comme précédemment $Str\ (S)$ est un ensemble de propositions qui n'ont de sens que par rapport à une axiomatique et qui doivent être compatibles avec cette axiomatique.

Si on s'accorde à désigner les règles énoncées par le tableau I par l'expression $Str\ (S)$ et l'axiomatique par A, on voit qu'on retrouve la formule (1) de la section précédente. En effet, A et $Str\ (S)$ définissent bien un calcul dont le résultat n'est autre que l'énoncé des caractéristiques apparentes du système, c'est-à-dire, en l'occurrence, des règles d'autorisation et d'interdiction de mariage. On peut donc écrire comme précédemment :

$$A + Str(S) \xrightarrow{\text{Calcul}} App(S).$$

Examinons maintenant l'autre exemple proposé au début de cette section, celui de la société Tarau. Si on conserve l'axiomatique A et si on définit cette fois $Str\,(S)$ par les règles du tableau III, on peut montrer, par une analyse semblable à la précédente,

TABLEAU III. — RÈGLES DE TRANSMISSION DES TYPES DE MARIAGE DANS LA SOCIÉTÉ TARAU

Type des parents	Type du fils	Type de la fille
t_1	t_1	t_4
t_2	t_2	t_1
t_3	t_3	t_2
t_4	t_4	t_3

d'une part, que ce tableau est compatible avec A, d'autre part, que l'ensemble $A + Str\,(S)$ engendre bien un calcul dont les résultats coïncident exactement avec l'ensemble des règles d'autorisation et d'interdiction de mariage adoptées par la société Tarau. En particulier, le lecteur vérifiera que le seul type de mariage entre cousins au premier degré autorisé est cette fois le mariage de l'*ego* avec la fille du frère de sa mère. En revanche, le mariage de l'*ego* avec la fille de la sœur de son père, avec la fille du frère de son père ou avec la fille de la sœur de sa mère est interdit.

Le fait que A s'applique à deux sociétés différentes et permette de définir un calcul d'où on déduit les « caractéristiques apparentes » de ces sociétés montre que l'axiomatique présente un certain degré de généralité.

Cette impression de généralité est confirmée si on

remarque que des faits caractéristiques d'un nombre beaucoup plus élevé de sociétés archaïques sont expliqués par la théorie. Dans les sociétés étudiées par Lévi-Strauss et ses continuateurs, l'observation ethnographique a montré, par exemple, que les règles du mariage traitent de manière distincte les cousins dits « parallèles » et les cousins dits « croisés ». Généralement, le mariage entre cousins parallèles est interdit.

Or, il se trouve que l'interdiction du mariage entre cousins parallèles est une conséquence *générale* de l'axiomatique A. En d'autres termes : quelles que soient les règles qui définissent *Str* (S), si ces règles sont compatibles avec A, comme elles doivent l'être pour que la théorie soit cohérente, le mariage entre cousins parallèles est interdit. En d'autres termes encore, l'interdiction du mariage entre cousins parallèles est une conséquence, non de l'ensemble de propositions A + *Str* (S), mais seulement des propositions incluses dans A.

Pour le montrer, il suffit de reformuler les remarques faites à propos de l'axiomatique A.

Tout d'abord, quel que soit le nombre de types de mariage utilisés par une société, il faut que les types de mariage du fils soient, comme les types de mariage de la fille, obtenus par une *permutation* des types de mariage des parents. De plus, il faut que le type du fils soit toujours différent de celui de la fille (sinon, les axiomes b et f seraient incompatibles). Mais il résulte de ces conditions que, lorsque deux frères ou deux sœurs ont des enfants de sexe opposé, ces enfants sont de type différent. En conséquence, le mariage entre cousins parallèles est toujours interdit, *quelles que soient les règles de transmission.* En d'autres termes, si *Str* (S) est compatible avec A, le mariage entre cousins parallèles est toujours interdit, quel que soit *Str* (S).

Cela explique l'apparente bizarrerie qui résulte du fait que le mariage entre cousins parallèles soit généralement interdit, tandis que le mariage de l'*ego* avec la fille de la sœur du père est parfois autorisé, comme dans la société Kariera, et parfois interdit, comme dans la société Tarau.

Faisons ici une remarque. S'il est facile de décider qu'une théorie est fausse — en remarquant qu'une au moins de ses conséquences est en contradiction avec l'observation — il n'est pas aussi facile d'analyser le mécanisme psychologique qui entraîne la conviction. Cette difficulté est particulièrement grande lorsque — comme c'est presque toujours le cas dans les sciences humaines — la théorie explique, non la totalité des faits connus dans un domaine, mais une partie seulement de ces faits. On peut toujours, en effet, se demander dans quelle mesure une théorie *segmentaire* n'est pas seulement une représentation *ad hoc* et sans valeur explicative réelle du fragment de réalité auquel elle s'applique.

Dans le cas de l'analyse précédente, on constate sans doute que l'axiomatique, accompagnée des « descriptions structurelles » convenables, reproduit correctement les règles du mariage adoptées par certaines sociétés. Ce résultat est remarquable en lui-même. Mais la confiance qu'on éprouve dans le caractère explicatif de la théorie est accrue, lorsqu'on remarque que les conséquences générales de A correspondent à des faits eux-mêmes de nature très générale, puisqu'ils caractérisent des ensembles de sociétés. En d'autres termes, les faits *généraux* correspondent à des propositions *générales* (déduites seulement de A), tandis que les règles variables d'une société à l'autre sont des conséquences de $A + Str\,(S)$. Ce parallélisme entre le niveau de généralité logique des propositions et la généralité empirique des faits contribue à renforcer le degré de confiance qu'on peut avoir dans la théorie.

Ces remarques visent à illustrer la complexité des mécanismes logiques et psychologiques par lesquels une théorie entraîne la conviction. Elles permettent ainsi d'entrevoir que, si la notion de structure est toujours définie dans les contextes qui nous intéressent ici par les formules (1) et (2) et si elle est toujours associée à l'idée d'une théorie des systèmes, il n'en demeure pas moins que ces théories peuvent procéder de manière très variable dans l'administration de la preuve. La comparaison entre nos deux exemples suffirait à le montrer. En effet, malgré leur très grande parenté, ils ne convainquent pas de leur validité par les mêmes voies. La théorie de l'accentuation de Chomsky-Miller est plus *générale* que celle de Bush : elle s'applique à une population de systèmes plus nombreuse. De son côté, le modèle de Bush présente certaines propriétés logiques qui lui confèrent une *validité* très supérieure à celle d'une théorie *ad hoc.*

Il suit de ces remarques qu'une analyse structurale peut être diversement convaincante. Mais il n'en résulte pas que la notion de « structure » soit, pour autant, homonymique.

Notons, pour compléter la démonstration, que la formule (2), à savoir :

$$A + App(S) \xrightarrow{\text{Calcul}} Str(S),$$

s'applique aux exemples que nous venons d'analyser. En d'autres termes, on peut, à partir de l'axiomatique A et des caractéristiques apparentes App (S) d'un système, déduire les règles de transmission des types — Str (S) — compatibles avec A. Rappelons que, dans ce cas, App (S) est l'ensemble des règles d'autorisation et d'interdiction de mariage qui caractérisent le système *S*.

Il résulte de ces remarques que la notion de structure a une signification unique dans les deux contextes que nous venons d'étudier. Dans les deux cas, l'objet analysé présente les caractéristiques d'un système *défini*. Dans les deux cas, la théorie a la forme d'un système hypothético-déductif vérifiable. En outre, la définition de la notion de structure peut être ramenée, ici et là, à l'énoncé des formules (1) et (2).

Les remarques que nous faisions à propos de l'exemple précédent valent donc à propos de celui-ci. La notion de structure n'y est définie que par rapport au langage résumé par les formules (1) et (2). Quant au fait que les associations et oppositions usuelles de la notion de structure soient évoquées dans ce contexte, il s'explique de la même façon. Dans la mesure où l'analyse structurale est la théorie d'un système de faits, il faut bien que ces faits soient expliqués en tant que totalité et qu'ils révèlent, par là même, une cohérence qui contredit l'impression d'arbitraire donnée par les caractéristiques apparentes du système.

L'évocation de ces associations synonymiques est même à ce point inévitable que les meilleurs philosophes s'y laissent prendre. Pourtant, il est non pertinent de se demander, comme le fait par exemple Ricœur (53), si une analyse structurale est capable de restituer la « signification profonde » ou le « sens » de l'objet auquel elle s'applique. Si on accepte de négliger les nuances philosophiques qui séparent la notion traditionnelle d'*essence* des notions modernes de *sens* ou de *signification*, la question revient à se demander si on peut identifier la notion de structure, telle qu'elle apparaît dans le contexte de l' « analyse structurale », avec l'association synonymique « essence ».

A cette question, on peut répondre, d'une part, que la notion de structure évoque nécessairement — dans ce contexte comme dans les autres — l'association synonymique « essence ». Cela résulte simplement de ce qu'une structure est toujours la théorie d'un système d'apparences. Mais la notion de « structure » ne se laisse pas davantage réduire à la notion d' « essence » que la notion d'*hypothèse* ne se laisse ramener à celle d'*affirmation provisoire.* « Structure » veut dire ici « théorie vérifiable d'un système de caractéristiques apparentes ». Elle « révèle » donc son objet exactement comme n'importe quelle théorie scientifique [10]. Quant à la question de savoir si cette révélation est celle de l'essence de l'objet, on ne peut y répondre que par un acte de foi. Cet acte de foi peut consister à tenir la théorie scientifique représentée par la « structure » d'un objet pour la révélation de son « essence ». On adopte alors une position de type *scientiste*, puisqu'on demande à la science de répondre à la question philosophique des essences. Il peut également consister à admettre l'existence d'un mode de connaissance suffisamment défini pour qu'on puisse le déclarer supérieur à la connaissance d'ordre scientifique. Nous préférons pour notre part la position intermédiaire qui consiste à admettre que les notions de « structure » et d' « essence » appartiennent à deux langages différents — exactement, encore une fois, comme « hypothèse » et « affirmation provisoire ».

Remarquons, pour conclure cette section, que les deux cas que nous avons analysés, celui de l'accentuation de l'anglais et celui de l'analyse des structures de la parenté représentent en quelque sorte des cas idéaux, dans la mesure où la théorisation y porte sur un ensemble de systèmes naturellement *définis* et dont la description est aisée. Dans d'autres cas, comme on le verra aux sections suivantes, le langage défini par les formules (1) et (2) est appliqué à des systèmes non naturellement définis. Il en résulte qu'on doit d'abord, par une décision arbitraire, transformer le système naturellement indéfini en un système artificiellement défini. Quant à la notion de structure, elle continue d'avoir, dans ces contextes de type 2, la même signification que dans les contextes de type 1, qu'illustrent les deux précédents exemples. Elle est, en d'autres termes, strictement définie par les formules (1) et (2). La seule différence est que l' « analyse structurale » porte, cette fois, sur un système *artificiel.*

Exemple de structure de type 2.

L'exemple que nous choisirons maintenant pour illustrer ce type d' « analyse structurale » est emprunté à la sociologie. Il s'agit de la situation, très banale dans l'analyse des sondages sociologiques, où, ayant caractérisé les individus d'une population par rapport à un ensemble de variables, le problème est de déterminer la « structure » des relations entre ces variables [11].

Pour fixer les idées, nous utiliserons l'exemple d'une recherche où il s'agissait d'analyser un ensemble de données relatives aux intentions de vote d'un échantillon d'électeurs au cours de l'élection présidentielle américaine de 1940. Les données se présentaient sous une forme relativement simple : le même échantillon d'électeurs avait été interrogé à plusieurs reprises au cours de la campagne. Nous considérerons ici deux caractéristiques observées à deux périodes : la première concernait les sympathies politiques du répondant (démocrate /républicain). La seconde enregistrait l'attitude du répondant à l'égard du candidat républicain (Willkie).

L'objet proposé à l'analyse est bien, cette fois, un objet *artificiel.* Il n'y a, en effet, aucune nécessité à considérer seulement ces quatre caractéristiques (plus proprement : ces deux caractéristiques observées à deux reprises). On pourrait aisément imaginer d'autres caractéristiques explicatives du comportement électoral. On pourrait également multiplier le nombre des observations. Néanmoins, il est possible d'analyser la « structure » de ce système.

Les résultats de l'observation sont reproduits au tableau IV. On y lit, par exemple, que 6 seulement parmi les 135 personnes qui s'étaient déclarées favorables au parti républicain et à son candidat ont modifié leur attitude sur un des deux points. En revanche, sur les 35 personnes qui avaient manifesté à la fois leur sympathie pour les républicains et leur antipathie pour le candidat républicain, 12, soit plus d'un tiers, ont modifié leur attitude. Le changement s'est fait dans le sens d'une harmonisation de l'attitude à l'égard du candidat par rapport aux sympathies politiques. Le même phénomène est observable si on considère les 24 personnes qui s'étaient, à la première interview, déclarées favorables à la fois au parti démocrate et au candidat républicain. En revanche, sur les 72 personnes qui s'étaient déclarées à la fois favorables au parti démocrate et hostiles au candidat républicain, 4 seulement changent d'opinion.

TABLEAU IV. — INTENTIONS DE VOTE ET ATTITUDES A L'ÉGARD DU CANDIDAT RÉPUBLICAIN EN DEUX PÉRIODES [d'après Lazarsfeld et coll. (28)]

Première observation	Deuxième observation — Parti + / Candidat +	Parti + / Candidat −	Parti − / Candidat +	Parti − / Candidat −	Total
Républicains favorables au candidat républicain (++)..	129	3	1	2	135
Républicains hostiles au candidat républicain (+−)......	11	23	0	1	35
Démocrates favorables au candidat républicain (−+)..	1	0	12	11	24
Démocrates hostiles au candidat républicain (−−)......	1	1	2	68	72
TOTAL............	142	27	15	82	266

Ces données sont, on le voit, claires et faciles à interpréter. Le tableau IV se présente comme un ensemble d'éléments interdépendants. Il est muni d'une « *structure* » au sens des contextes *intentionnels*. Dans ce cas simple, il n'est pas difficile de faire la théorie de l'interdépendance entre les éléments. La *structure* de ce tableau — au sens des contextes effectifs — peut donc être dégagée par une analyse intuitive. Mais il n'est pas difficile d'imaginer des situations où on aurait à analyser simultanément, non deux mais trois caractéristiques observées, non à deux, mais à trois instants. Dans ce cas, à supposer que les caractéristiques soient dichotomiques (se réduisent à deux possibilités), les données prendraient la forme, non plus d'un tableau à 16 éléments, mais de 8 tableaux comprenant 8 × 8 = 64 éléments. Naturellement, ces nombres croissent très vite avec le nombre de caractéristiques et de périodes d'observation. On conçoit alors que, même dans des cas relativement simples, une analyse intuitive soit difficile. Elle deviendrait résolument impossible dans le cas où on voudrait analyser les relations entre quatre caractéristiques dichotomiques observées à trois reprises, car il faudrait alors analyser « simultanément [12] » 16 tableaux comportant chacun 16 × 16 éléments.

Il y a donc intérêt à définir une procédure formelle, qui permettrait de déterminer la *structure* de processus comme celui que décrit le tableau IV, non seulement dans le cas où on s'intéresse à un petit nombre de caractérisations observées à deux reprises, mais dans le cas général où on observe n caractéristiques à m reprises. Dans le cas du tableau IV, l'application de cette procédure ne saurait faire autre chose que confirmer les résultats de l'analyse intuitive. En revanche, elle devient indispensable dès que les nombres n et m sont supérieurs à 3 ou même à 2. On a donc là — notons-le incidemment — l'exemple intéressant d'un cas où la nécessité d'utiliser un langage mathématique pour analyser une structure n'apparaît qu'à partir du moment où l'intuition devient impuissante. Ce qui montre bien que la notion de structure n'est pas liée de façon nécessaire à celle de modèle mathématique, mais seulement à la notion plus générale de *théorie*.

Dans le cas où, comme dans le tableau IV, $n = m = 2$, la théorie prend la forme de propositions telles que : dans le processus d'harmonisation, l'attitude à l'égard du candidat tend à se soumettre à l'attitude politique fondamentale. D'où on déduit directement, sans avoir à passer par l'intermédiaire d'un modèle mathématique, que les états « instables » (— +) et (+ —) vont se résoudre respectivement dans les états (— —) et (+ +) plutôt que dans les états (+ +) et (— —). Dans un cas comme celui-là, on peut donc déduire directement les conséquences d'un ensemble d'axiomes et vérifier que ces conséquences sont en accord avec les données de l'observation. Ce qu'on peut encore exprimer en disant que la structure du tableau IV est immédiatement *lisible*. Dans des cas plus complexes, il devient par contre impossible de déterminer intuitivement si une hypothèse est confirmée ou non par les données de l'observation. Il faut donc recourir à un modèle formel.

Pour plus de simplicité, nous évoquerons cette procédure à propos de l'exemple du tableau IV, tout en gardant en mémoire que son utilité ne peut vraiment apparaître qu'à propos d'exemples plus complexes.

L'interprétation, brièvement esquissée ci-dessus, du tableau IV est la suivante : il semble ressortir des données, d'une part que les deux attitudes considérées manifestent un certain degré d'inertie. En d'autres termes, elles tendent à persister d'une période à l'autre. On peut le constater en remarquant que sur les 266 personnes interrogées, 232 sont situées sur la diagonale principale du tableau IV. En outre, il semble qu'on puisse postuler une tendance à l'harmonisation des deux attributs au profit du premier, à savoir des sympathies politiques. Cela revient à concevoir les états (+ —) (républicains hostiles au candidat républicain) et (— +) (démocrates favorables au candidat républicain) comme instables. On suppose donc que l'état (+ —) doit se résoudre dans l'état (+ +) et l'état (— +) dans l'état (— —). Cependant, cette résolution n'est pas obligatoire. En effet, la tendance à l'harmonisation est contrebalancée par l'inertie des attitudes.

Ce processus hypothétique peut être utilement traduit par un « schéma fléché », comme ceux que les économistes utilisent depuis Tinbergen (56). Ce schéma est représenté à la figure 5.

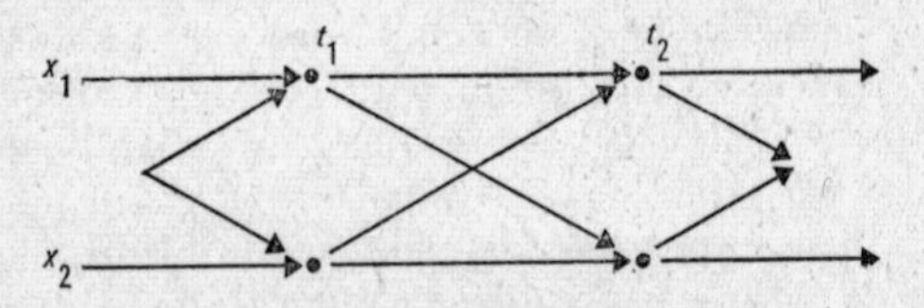

FIG. 5. — « SCHÉMA FLÉCHÉ » CORRESPONDANT AU PROCESSUS DU TABLEAU IV

Les points situés sur la ligne supérieure de ce schéma représentent la caractéristique « sympathies politiques », qu'on peut désigner par x_1. Les points situés sur la ligne inférieure représentent la variable « attitude à l'égard du candidat républicain », qu'on désignera par x_2. Quant aux alignements verticaux des mêmes points, ils représentent des périodes successives. Sur la figure, nous avons représenté deux de ces périodes, désignées par les symboles t_1 et t_2. Ces deux moments sont supposés correspondre aux deux vagues d'entretiens. Le schéma est alors aisément interprétable. Les flèches horizontales de la ligne supérieure traduisent l'inertie de la caractéristique x_1. Les flèches horizontales de la ligne inférieure traduisent l'inertie de la caractéristique x_2, inertie qu'on peut encore exprimer en disant que l'attitude à l'égard du candidat a tendance à persister d'une période à l'autre. Quant aux flèches obliques, elles indiquent les actions différées de chacune des variables sur l'autre. Ainsi, la flèche qui va du point (x_1, t_1) au point (x_2, t_2) indique que les sympathies politiques manifestées au moment du premier entretien ont tendance à influencer l'attitude à l'égard du candidat républicain au moment du second entretien.

Remarquons en outre que, de part et d'autre des points symbolisant les deux périodes d'interviews, nous avons indiqué un réseau de flèches analogue à celui qui traduit les actions des deux variables x_1 et x_2 entre t_1 et t_2. Nous traduisons par là l'hypothèse selon laquelle le processus observé aux deux moments t_1 et t_2 est identique à lui-même sur une période plus longue. Nous supposons ainsi que si on avait disposé, par exemple, d'un troisième entretien recueilli à un instant t_3, un processus de « structure » analogue à celui de la période précédente aurait été observé.

Une flèche comme celle qui lie les points (x_1, t_1) et (x_1, t_2) indique donc que l'état de la variable x_1 au temps t_1 détermine avec une certaine probabilité l'état de la même variable au temps t_2. En supposant qu'on puisse mesurer cette influence[13] et que nous désignions une telle mesure par $a_{11,\,12}$ (action de la variable x_1 au temps t_1 sur la variable x_1 au temps t_2), on peut traduire l'hypothèse exprimée par la flèche en disant que :

La probabilité d'être dans l'état x_1 en t_2 lorsqu'on est dans l'état x_1 en t_1 est une fonction de $a_{11,\,12}$.

De la même manière, si on désigne par $a_{21,\,12}$, l'effet de la variable x_2 au temps t_1 sur la variable x_1 au temps t_2, on peut exprimer la probabilité d'être dans l'état x_1 en t_2, sachant qu'en t_1 on a été dans les états x_1 et x_2, comme une fonction de $a_{11,\,12}$ et $a_{21,\,12}$.

Il n'est pas nécessaire d'entrer dans les détails de ce modèle. Il suffit de comprendre qu'on peut associer un système d'équations aux hypothèses que nous avons d'abord exprimées sous forme verbale pour les traduire ensuite sous la forme d'un schéma fléché. Ce système constitue un modèle dont les paramètres sont les mesures d'influence $a_{11.\,12.}$ $a_{21.\,12.}$ etc., qui correspondent chacun à une des flèches de la figure 5. Les paramètres associés à ces flèches ont été indiqués sur la figure 6. Naturellement, on introduira, si besoin est, des hypothèses complémentaires : par exemple, on supposera les fonctions *linéaires.* Il suffira alors de résoudre le système d'équations ainsi défini pour obtenir les valeurs des *paramètres.*

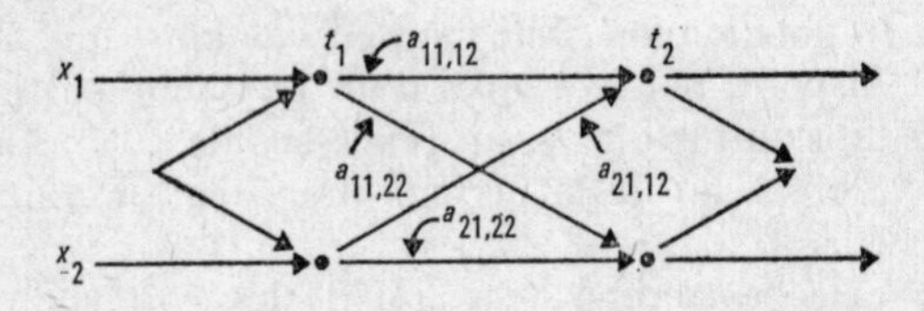

FIG. 6. — PARAMÈTRES ASSOCIÉS AU SCHÉMA FLÉCHÉ DE LA FIGURE 5

Ce sont précisément ces paramètres dont on dira — conformément à un usage introduit par l'économétrie — qu'ils définissent la *structure* du processus qui s'est déroulé entre les deux observations, ou qu'ils sont les paramètres « structurels » du modèle.

On remarquera immédiatement que la « structure » du processus n'est définie que par rapport aux équations qui expriment les probabilités conditionnelles en fonction des paramètres. En effet, il est toujours possible d'écrire des équations différentes, selon les hypothèses qu'on désire introduire. Des hypothèses différentes conduisent naturellement à des équations différentes et, par conséquent, à des estimations différentes des paramètres, éventuellement à l'introduction de paramètres nouveaux. D'où il résulte que la « structure » du processus est décrite en des termes qui varient avec les hypothèses retenues. Toutefois, cela ne conduit pas à un relativisme insoluble, car il est, en général, possible de décider entre deux théories en prenant les données de l'observation pour arbitre. Il suffit pour cela de reconstituer ces données à partir des estimations des paramètres structurels. Si les hypothèses incorporées dans les équations sont convenables, la reconstitution doit aboutir à un résultat acceptable [14].

A titre d'illustration, nous reproduisons ci-dessous (tableau V) les résultats de cette reconstitution dans le cas qui nous intéresse. La théorie utilisée ici est celle qui est résumée par le schéma fléché de la

TABLEAU V. — RECONSTITUTION DES DONNÉES DU TABLEAU IV A PARTIR DES PARAMÈTRES STRUCTURELS

Première observation	Parti Candidat — Deuxième observation: + +	+ −	− +	− −	Total
Républicains favorables au candidat républicain (++)..	126	5	3	1	135
Républicains hostiles au candidat républicain (+−)......	13	22	0	0	35
Démocrates favorables au candidat républicain (−+)..	0	0	15	9	24
Démocrates hostiles au candidat républicain (−−)......	0	2	3	67	72
TOTAL............	139	29	21	77	266

figure 5. Les effets exprimés par les flèches de cette figure ont, d'autre part, été supposés additifs.

Le tableau V montre que les données reconstituées à partir de ce modèle sont proches des données observées. On peut donc considérer la théorie qui a servi de base à l'estimation des paramètres comme valable. Remarquons en outre que les valeurs des paramètres structurels sont bien conformes aux hypothèses qu'on peut émettre, lorsqu'on analyse la *structure* du tableau IV de manière intuitive. Les valeurs de ces paramètres sont les suivantes :

$$a_{11,\,12} = 0{,}956$$
$$a_{21,\,22} = 0{,}583$$
$$a_{11,\,22} = 0{,}342$$
$$a_{21,\,12} = 0{,}018$$

Si on se reporte à la figure 6, qui résume la signification des paramètres, on voit que ces résultats traduisent les faits suivants : tout d'abord, les deux caractéristiques apparaissent comme manifestant une certaine inertie, puisque $a_{11,\,12}$ et $a_{21,\,22}$ sont significativement différents de zéro. Mais l'inertie de la première est plus grande que celle de la seconde : tout se passe donc comme si l'attitude politique à l'égard du parti jouait un rôle inducteur à l'égard de la seconde attitude. Cela est confirmé par le fait que, comme l'indiquent les valeurs respectives de $a_{11,\,22}$ et $a_{21,\,12}$, la variable x_1 exerce un effet différé important sur x_2, tandis que x_2 n'a pratiquement pas d'effet sur x_1.

Nous en savons maintenant assez sur cet exemple pour nous interroger sur la signification de la notion de structure dans le présent contexte.

Remarquons d'abord que l'exemple présent, bien que particulier, renvoie à une famille extrêmement nombreuse d'exemples du même type. Ainsi, tous les modèles économétriques sont de ce type. Dans tous les cas, ils consistent à exprimer certaines quantités observées en fonction d'autres quantités observées et de paramètres « structurels ». La procédure consiste à résoudre le modèle en fonction de ces paramètres et à vérifier que la « structure » ainsi obtenue est valide. Pour cela, on se demande si elle permet de reconstituer convenablement les données observées.

Cela dit, on constate aisément que la notion de structure a, dans le contexte de l'exemple présent, une signification strictement identique à celle qu'elle a dans les exemples précédents. Les équations du modèle constituent une axiomatique. Cette axiomatique, appliquée aux données, ou, selon la terminologie utilisée plus haut, aux caractéristiques apparentes du système, définit alors un calcul, lequel permet de déduire la valeur des paramètres structurels. Ce que nous appelons ci-dessus la « formule (2) » est donc applicable au cas présent et on a bien :

$$A + App(S) \xrightarrow{\text{Calcul}} Str(S).$$

En outre, on s'assurera que la théorie proposée est valide, en vérifiant que l'axiomatique complétée par les valeurs estimées des paramètres structurels permet effectivement de reconstituer les données observées. Comme dans les cas précédents, la formule (1) vient donc compléter la formule (2). Notons-le en passant, la formule (1), à savoir :

$$A + Str(S) \xrightarrow{\text{Calcul}} App(S),$$

assume dans ce cas une fonction propre. En effet, elle décrit la procédure de vérification par laquelle on s'assure qu'une « analyse structurale » aboutit bien à une description convenable de la réalité.

Remarquons en outre que le modèle sociologique que nous avons utilisé présente un avantage important par rapport aux mille plus un modèles économétriques que nous aurions pu également choisir. En effet, il montre comment le modèle mathématique ne fait que se substituer à l'*intuition* lorsque la situation analysée devient trop complexe. Dans le cas où on se contente d'observer deux caractéristiques à deux reprises, la *structure* d'un processus comme celui du tableau IV est directement *lisible*, au sens où l'interprétation des données peut être immédiatement vérifiée par une simple inspection du tableau. Dans un cas plus complexe, la structure est *illisible.* Le modèle joue alors le rôle d'un instrument de détection qui transforme une information illisible en information *lisible.* Cette information lisible n'est autre que l'ensemble des paramètres *structurels.*

On peut enfin remarquer que la définition de la notion de structure à partir de nos deux formules fondamentales permet de clarifier la querelle de l'opposition entre « structure » et « processus ».

L'exemple présent montre, en effet, qu'on peut parler — en un sens dépourvu d'ambiguïté — de la « structure » d'un processus. Il suffit pour cela que le système observé soit photographié à diverses reprises et analysé dans le langage défini par les deux formules fondamentales. Dans le cas de notre exemple, les données recueillies ne nous ont pas permis d'analyser plus de deux observations successives. A ces deux observations, on a associé une structure qui peut être représentée par la figure 7.

La seule différence entre cette figure et le schéma de la figure 5 est qu'on a cette fois reporté les valeurs des « paramètres structurels » au-dessus des flèches correspondantes.

Mais on peut imaginer un nombre d'observations supérieur à 2. Supposons, par exemple, qu'on applique l'analyse précédente à une suite de 5 observations, prises à intervalles réguliers. Si on obtient des résul-

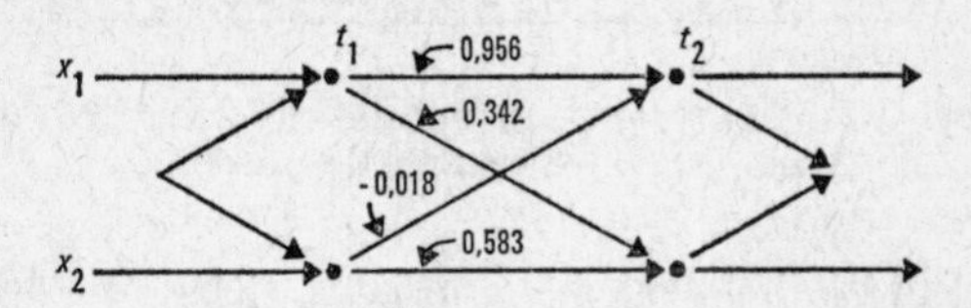

FIG. 7. — STRUCTURE DU PROCESSUS DONT L'OBSERVATION EST CONSIGNÉE AU TABLEAU IV

tats comme ceux de la figure 8, on peut dire qu'on a affaire à un processus qui démontre une « stabilité structurelle ». En effet, on voit que les paramètres structurels sont constants quelles que soient les périodes considérées.

Mais on pourrait observer des résultats différents; par exemple, que l'influence des sympathies politi-

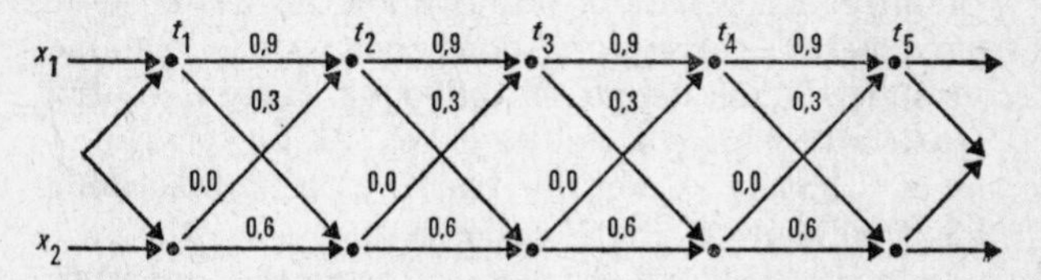

FIG. 8. — EXEMPLE DE PROCESSUS CARACTÉRISÉ PAR UNE STABILITÉ STRUCTURELLE

ques sur l'attitude à l'égard du candidat s'amenuise régulièrement, comme dans le cas de la figure 9. Dans ce cas, on pourrait parler de changement structurel et décrire ce changement sans ambiguïté.

La notion de structure peut donc être étendue sans

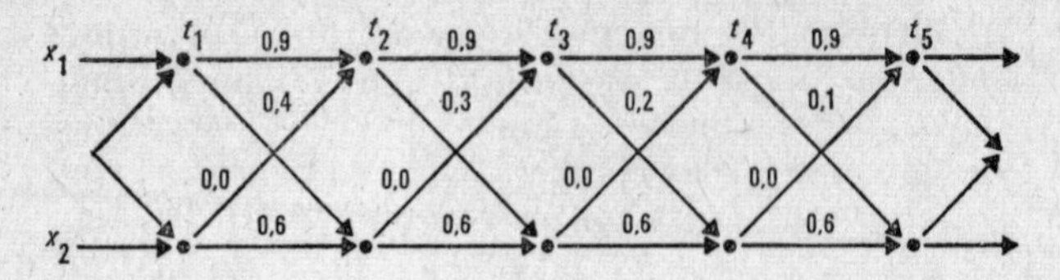

FIG. 9. — EXEMPLE DE PROCESSUS CARACTÉRISÉ PAR UN CHANGEMENT STRUCTUREL

difficulté à l'analyse des processus. Cette proposition est d'ailleurs une simple conséquence de notre définition de la notion de structure : s'il est bien vrai que cette notion n'est pas liée au contenu particulier des systèmes, mais seulement à la *forme* de l'analyse, il en résulte qu'il importe peu de savoir si un système *est* temporel ou non.

Conclusion.

Nous pouvons maintenant conclure le présent chapitre. En constatant tout d'abord que la notion de structure correspond, dans tous les cas examinés jusqu'ici, à une définition univoque. Cette définition est décrite par les formules (1) et (2). La formule (1) montre que la notion de structure est indissociablement solidaire d'une théorie, et que cette théorie a la propriété de conduire à des conséquences qui reproduisent les caractéristiques phénoménales du système analysé. En d'autres termes, les caractéristiques phénoménales du système ne sont autres que des théorèmes déduits de la théorie. Ce qui revient à dire que la théorie a pour fin de rendre compte de l'ensemble des caractéristiques phénoménales du système *en tant qu'ensemble.* Elle évoque donc naturellement les associations synonymiques du terme structure, bien que, dans ce cas, la signification de la notion de structure ne soit pas réductible à ses associations. La formule (1) symbolise donc le moment de la synthèse, par lequel on vérifie qu'une théorie est compatible avec l'observation. Quant à la formule (2), elle symbolise le moment de l'analyse : elle résume la démarche par laquelle le chercheur, placé devant un objet dont il considère les éléments comme interdépendants, formule certaines hypothèses destinées à expliquer cette interdépendance. Bien que les constructions logiques associées à ces divers exemples soient différentes les unes des autres, elles sont toujours exprimées dans un langage dont les deux formules fondamentales résument la nature. La formule (2) exprime la procédure par laquelle la « structure » d'un système est obtenue. La formule (1) décrit la procédure de « vérification » par laquelle on s'assure qu'une *théorie* est effectivement acceptable, la notion de théorie étant définie par l'ensemble des propositions contenues dans $A + Str\,(S)$.

Cela dit, la notion de structure provoque un sentiment d'homonymie lorsqu'on compare les exemples de type 1 (analyse de l'accentuation de l'anglais, analyse des structures de la parenté) aux exemples de type 2 (analyse factorielle, analyse du processus de décision électorale). Le fait qu'on parle d' « anthropologie structurale » ou « de linguistique structurale », mais non de « sociologie structurale » ou d' « économie structurale », peut lui-même être interprété comme une attestation indirecte de cette homonymie [15]. En effet, il est douteux qu'une telle différence dans les usages linguistiques puisse être expliquée par des contingences historiques. Il est vrai que la « mutation structuraliste » a été relativement brutale en linguistique et en anthropologie. Mais l'économie n'utilise-t-elle pas les méthodes « structuralistes » depuis plus longtemps encore? En effet, les démarches scientifiques qui caractérisent la syntaxe structurale de Chomsky comme l'analyse structurale des systèmes de parenté sont absolument indistinctes de celles qu'on trouve appliquées en économétrie. Dans tous les cas, le chercheur part d'un ensemble de données, qu'il considère comme interdépendantes, émet certaines hypothèses explicatives et vérifie que ces hypothèses permettent bien de retrouver par déduction les « caractéristiques apparentes » du système qu'il s'est efforcé d'expliquer. La même démarche pourrait être mise en évidence — comme notre exemple emprunté à la sociologie électorale le prouve — dans de nombreuses recherches relevant de la sociologie. Pourtant, on parle de « syntaxe structurale », d' « anthropologie structurale », mais non de « sociologie structurale ». Comme il est impossible de déceler la moindre différence de fond entre les « méthodes structurales » de ces diverses disciplines, il faut admettre que l'origine de la distinction est ailleurs. A notre sens, elle réside dans une différence entre les *objets* plutôt qu'entre les *méthodes* des différentes disciplines. Lorsqu'on analyse les règles du mariage d'une société, on a affaire à un petit nombre de faits qui peuvent être aisément repérés et décrits. Lorsqu'on analyse un segment de l'anglais, on a également affaire à un ensemble restreint de faits aisément observables. En revanche, quand on analyse un système économique, ou même — plus modestement — une décision de vote, il est nécessaire de prélever arbitrairement un certain nombre de caractères du système économique ou du système de facteurs qui déterminent la décision. Rien ne saurait faire que les règles du mariage ne constituent un système défini, tandis que les facteurs de la décision constituent un système indéfini. *En un sens*, la notion de

« structure » n'a donc pas le même *sens* lorsqu'on parle des « structures de la parenté » ou des « structures de la décision ». Le sentiment d'homonymie est même si flagrant que des témoins honnêtes mais peu perspicaces en matière d'histoire des sciences croient que le structuralisme est le propre de l'anthropologie et de la linguistique et proposent de l'introduire ailleurs, comme si la chose — à défaut du mot — n'existait pas depuis longtemps dans des disciplines comme la sociologie ou l'économie. Pourtant l'attitude de ces témoins se comprend : les résultats sont moins spectaculaires lorsque l'objet de départ est arbitrairement découpé et constitué. On ne s'étonne pas d'y trouver un ordre mathématique. En revanche, lorsque le même ordre règne dans des objets naturels qui ne sont en aucune manière le produit de la volonté de l'observateur — comme dans le cas des règles du mariage — on s'étonne, on a le sentiment de la révélation, on situe la structure non plus du côté de l'observateur, mais de celui des choses et on se demande si le « structuralisme » n'est pas le moyen de découvrir l' « essence » de l'objet.

On l'a vu : il est déraisonnable de se demander si l'analyse des structures est une analyse des essences, tout comme il est absurde de se demander si la physique nous révèle l' « essence » de la matière. Car une structure, ou n'est rien, ou est une hypothèse scientifique. Or une hypothèse scientifique peut, *hic et nunc*, être la meilleure possible. Elle peut rendre compte de plus de faits que toute autre et satisfaire à d'autres critères. Cependant, il est essentiel qu'elle puisse être rejetée demain et remplacée par une hypothèse meilleure. Croire, comme le font certains, que le « structuralisme » peut révéler le côté caché des choses ou même *se demander* si les structures décrivent l'essence ou le sens profond des choses, c'est donc déjà s'interdire de comprendre la notion de structure. Ces questions sont purement et simplement dépourvues de sens. En revanche, on peut facilement expliquer qu'elles soient posées, car elles ne font que refléter et exprimer l'étonnement justifié qu'on éprouve lorsque — comme dans l'analyse des structures de la parenté — on découvre un ordre mathématique dans un objet « naturel ». Étonnement d'autant plus grand que l'objet se présente au niveau de l'observation superficielle comme un *agrégat* d'éléments dépourvus de liens.

Mais cela exprime seulement le fait qu'une théorie puisse être plus ou moins étonnante, plus ou moins convaincante. Car il ne suffit pas qu'une théorie soit vérifiée ou du moins démontrée non fausse pour qu'elle entraîne un degré uniforme d'adhésion. Sa facture particulière engendre des sentiments psychologiquement complexes et suscite des niveaux variables de conviction.

Mais — on l'a compris — ces qualités propres des théories associées à la notion de structure n'empêchent pas que, dans tous les contextes que nous avons examinés, la notion de structure ait une signification bien définie. Le sentiment d'homonymie résulte des contextes particuliers. Il provient notamment de ce que certains objets-systèmes sont définis, tandis que d'autres sont *indéfinis*. Or, il s'agit là d'un fait devant lequel on ne peut que s'incliner.

Notons par parenthèse que l'ignorance de ces faits pourtant évidents — fait que l'analyse structurale d'un système est le produit d'une théorie et fait que la construction de théories efficaces dépend de la nature de l'objet et de l'instrumentation mentale disponible — est à l'origine de ce qu'on peut appeler le « structuralisme magique ». En effet, le structuralisme ayant donné des résultats sans aucun doute spectaculaires dans des disciplines comme l'anthropologie ou la linguistique, certains ont cru que ces révolutions étaient seulement dues à un changement de perspective d'ordre métaphysique. Les linguistes auraient bouleversé leur discipline à partir du moment où ils se seraient rendu compte que les éléments des langues s'organisent en systèmes, en ensemble d'éléments interdépendants, en « totalités distinctes de la somme de leurs parties », etc. Une telle proposition est à la fois vraie et fausse à force de simplification. Car les révolutions structuralistes datent, non du moment où on a compris que les langues, les personnalités, les marchés, les sociétés constituent des systèmes, mais du moment où on a imaginé un outillage mental permettant d'analyser à l'aide de théories scientifiques ces systèmes en tant que systèmes. Certains pourtant ont cru qu'il suffisait de considérer un objet comme système pour provoquer *ipso facto* une mutation scientifique : c'est cette croyance que nous appelons le « structuralisme magique ». Le résultat est que, dans le structuralisme magique, les structures se trouvent de fait assimilées aux essences de la métaphysique. Il n'y a pas évidemment de méthode pour y accéder. Seule une certaine préparation mentale ou spirituelle est nécessaire. L'existence de ce structuralisme magique est une source supplémentaire de confusion. Cependant, nous nous contentons de le mentionner, son analyse débordant le cadre du problème que nous posons ici. Car il y a entre le structuralisme de Chomsky ou des *Structures élémentaires de la parenté*, d'une part, et ce que nous appelons le structuralisme magique, de l'autre, une différence comparable à celle qui sépare l'« atomisme » de la physique moderne de celui de Démocrite.

CHAPITRE IV

LA NOTION DE STRUCTURE DANS LE CONTEXTE DES DÉFINITIONS EFFECTIVES; STRUCTURES SANS AXIOMATIQUE APPARENTE

Dans ce qui précède, nous avons considéré des exemples de structures associées à une axiomatique apparente. Dans tous les cas examinés au chapitre III, il nous a été en effet possible de montrer que la structure d'un système était toujours définie par rapport à une axiomatique. L'hypothèse que nous essaierons de vérifier maintenant est que cette « structure de la notion de structure » est également présente dans les cas où la notion, bien que située dans le contexte d'une définition effective, ne paraît pas associée à une axiomatique.

Exemple de type 3.

Aucune étude traitant de la notion de structure dans les sciences humaines ne peut se dispenser, à un moment ou à un autre, d'évoquer la phonologie structurale, discipline qui est incontestablement à l'origine de la vogue considérable du terme *structure* dans ces sciences. De plus, les méthodes de la phonologie structurale sont souvent considérées comme le prototype des méthodes structuralistes dans les sciences humaines.

Il est donc indispensable d'essayer de préciser la signification de la notion de structure dans ce type de contexte.

Il n'est évidemment pas dans notre dessein de donner une vue d'ensemble, même sommaire, de la phonologie structurale. Fidèle à notre méthode des chapitres précédents, nous nous bornerons donc à analyser de près un exemple particulièrement significatif. Cette méthode présente sans doute des inconvénients : bien que le structuralisme soit un emblème reconnu par la quasi-totalité des phonologues, bien que les principes généraux auxquels il est fait allusion dans le premier chapitre de ce mémoire soient communément acceptés, l'application de ces principes varie considérablement — comme le montre Martinet (37) — d'un auteur à l'autre. Pourtant, la notion de structure a bien en phonologie comme ailleurs, malgré la diversité de ses réalisations, une signification parfaitement claire et unique. Cette définition n'est qu'une variante de la définition donnée au chapitre précédent.

Pour le montrer, nous nous contenterons d'un seul exemple : celui de l'analyse phonologique de Harris (21).

Afin de situer la phonologie de Harris dans son contexte, il est nécessaire de rappeler brièvement les objectifs et les difficultés de la phonologie structurale.

L'objectif est de décrire le matériau sonore qui sert de support aux messages « parlés », en considérant ce matériau comme un système. Il ne s'agit donc pas, comme en phonétique classique, d'inventorier et de décrire aussi fidèlement que possible les éléments de ce matériau sonore. Nous avons vu au premier chapitre que c'était là une tâche impossible. Le problème est plutôt de faire la théorie du support sonore des messages parlés. Ce problème est manifestement d'importance primordiale pour la linguistique, et il n'est guère surprenant qu'il soit le premier auquel l'analyse structurale se soit attaquée. Le problème fondamental du langage est, en effet, de savoir comment un message peut être transcrit sous la forme d'un flux sonore et, inversement, comment un flux sonore peut être déchiffré pour donner naissance, dans l'esprit du récepteur, à un message signifiant. Bref : le chiffrement ou le déchiffrement d'un message se ramène toujours à l'attestation d'une relation biunivoque entre ce message et un ensemble de sons. Il importe donc de considérer la langue comme un code et d'étudier ses propriétés en tant que code. C'est dire que le matériau sonore qui compose les segments d'une langue doit être conçu comme un système.

Une des premières tâches de la phonologie est donc de décrire les signes élémentaires de ce code, généralement appelés phonèmes. Mais deux difficultés apparaissent immédiatement. La première est la variabilité importante qu'on observe dans la réalisation des sons. La seconde provient de ce que certaines variations dans la réalisation des sons sont des effets du contexte et n'ont pas de fonction dans le chiffrement et le déchiffrement des messages. Souvenons-nous de l'exemple déjà cité du son initial des mots français « kilo » et « courage » : les sons transcrits respectivement par la lettre « k » et par la lettre « c » sont objectivement très différents l'un de l'autre. Mais cette distinction n'est jamais utilisée dans la langue française pour *signaler* une différence de signification. Elle est un simple produit du contexte : devant « i », le phonème (*k*) se prononce comme dans « kilo », devant « ou », le *même* phonème (*k*) se prononce comme dans « courage ».

De ces considérations, il résulte que les entités sonores élémentaires d'une langue doivent plutôt être conçues comme des classes de sons que comme des sons à proprement parler. En effet, il faut considérer comme une même entité les deux sons objectivement distincts qui inaugurent, par exemple, « kilo » et « courage ». Cette manière abstraite de concevoir les « phonèmes » ne va évidemment pas sans difficulté : d'abord, on peut se demander s'il est possible de trouver une procédure qui permette de répertorier exhaustivement et de classer en « phonèmes » les sons élémentaires d'une langue. En second lieu, si les phonèmes sont, non des sons, mais des classes de sons, il paraît logique de renoncer à les décrire par leurs attributs. En effet, les sons appartenant à la classe d'équivalence qui définit désormais un phonème sont objectivement très différents les uns des autres. Mais cette solution n'est guère convaincante, elle non plus, à partir du moment où l'objectif final est, non d'obtenir une classification satisfaisante pour l'esprit, mais d'expliquer le phénomène du langage : car, pour que je puisse déchiffrer un flux sonore en un message, il faut bien que j'identifie la suite des signaux sonores élémentaires à partir de leurs propriétés acoustiques.

La contradiction entre le fait que les phonèmes doivent être conçus plutôt comme des classes de sons que comme des sons et la nécessité de décrire la substance sonore des phonèmes — nécessité qui, encore une fois, découle de ce que deux signaux ne peuvent véhiculer une information distincte que s'ils sont physiquement distincts — cette contradiction, disions-nous, est ressentie de façon aiguë par les linguistes : « Ce recours à la substance phonique que suppose nécessairement l'identification des traits pertinents, dit André Martinet, est probablement l'opération phonologique la plus délicate » (38, p. 67). Cette contradiction est même si profondément ressentie que certains auteurs renoncent à donner une définition des phonèmes à partir de leurs attributs, ou « traits distinctifs », pour les définir à partir des contextes dans lesquels ils apparaissent. Rappelons-le : le premier type de définition est dit « paradigmatique », le second est dit « syntagmatique ».

Ainsi qu'on vient de le voir, le point de vue paradigmatique s'adresse à un objet défini de manière équivoque, puisqu'il s'agit d'établir la liste des caractéristiques objectives des phonèmes, qui sont eux-mêmes des classes de sons. Il en résulte qu'une définition paradigmatique doit résulter d'un compromis, sur lequel il semble difficile de réunir l'unanimité. On comprend ainsi que certains auteurs, dont Harris, aient cherché à pousser la recherche syntagmatique aussi loin que possible et à négliger délibérément de considérer la « substance sonore » des phonèmes. L'avantage de cette procédure est qu'elle réduit considérablement la part de l'arbitraire dans la description du matériau sonore des langues. On verra finalement que la solution à laquelle aboutit Harris représente un véritable « modèle de classification ». La procédure qu'il définit consiste, en d'autres termes, à poser un certain nombre de principes de classification généraux, évidemment choisis en fonction de préoccupations théoriques, et à obtenir, par *déduction*, la description structurelle de la langue considérée. Bref, nous constaterons, ici comme dans les exemples précédents, que la « structure » de l'objet considéré est la description qui résulte d'une théorie déductive.

Nous commencerons par présenter la suite des opérations par laquelle Harris propose d'analyser la structure phonologique d'une langue.

La première étape conduit à un découpage de la langue en segments élémentaires. A ce point, une première difficulté surgit. Comment décider, en effet, si un son est « élémentaire » ou non? Pour résoudre ce problème, Harris propose une procédure bien définie, dont la première opération consiste en un découpage intuitif arbitraire. Ainsi, on pourrait — pour reprendre l'exemple utilisé par Harris lui-même — décomposer l'expression « I'll tack it » en quatre atomes hypothétiques : A (= *al*), T (= t^h *ae*), k, I (= *it*). Il s'agit ensuite de corriger l'intuition par une procédure itérative. Pour cela, on comparera la décomposition précédente à la décomposition d'autres segments : supposons qu'on ait décomposé l'expression « I'll pack it » sous la forme AP (= p^h*ae*) kI, l'expression « I'll tip it » sous la forme AQ (= t^h*i*) pI et, finalement, l'expression « I'll dig it » sous la forme AD (= *di*)gI. On observe alors facilement que la première partie de T peut être substituée à la première partie de Q, la dernière partie de T à la dernière partie de P, etc. De proche en proche, on détermine ainsi les segments élémentaires t^h, *ae* et i. La partie de P non commune à une partie de T serait alors à son tour identifiée comme p^h. De même, d serait identifié comme la partie de D non commune à D et à Q. Si ces opérations sont menées sur une population suffisamment nombreuse d'expressions, elles conduisent, de façon mécanique, à un tableau des éléments sonores *unique*. Ce tableau est, en d'autres termes, indépendant à la fois des expressions initialement choisies et du découpage primitif.

Cette série d'opérations préliminaires étant effectuée, le problème consiste à déterminer la structure phonologique de la langue considérée à partir d'une définition, non paradigmatique, mais syntagmatique des phonèmes. Pour cela, on utilisera la condition essentielle selon laquelle deux segments ne représentent deux phonèmes distincts que s'ils exercent une fonction distinctive. Ce principe, sur lequel tous les phonologues s'accordent, est dit « principe de pertinence ». En d'autres termes, il s'agit de donner une forme générale à la proposition selon laquelle deux sons, ou, comme nous dirons désormais, deux segments élémentaires, ne peuvent être considérés comme structurellement distincts que s'ils exercent une fonction de distinction. Ce qu'on peut encore exprimer en disant que deux segments phénoménalement distincts ne peuvent être considérés comme structurellement distincts que si les différences phénoménales qui les séparent ne sont pas engendrées par le contexte.

Le *calcul* proposé par Harris pour obtenir cette description structurelle est le suivant : tout d'abord, les segments élémentaires étant déterminés, on enregistre tous les contextes dans lesquels ils apparaissent. La tâche est évidemment infinie si on ne fixe pas une limite supérieure à la longueur des contextes. D'un autre côté, il est impossible de fixer une telle limite sans tomber dans l'arbitraire. Mais la difficulté peut être aisément résolue, car, au-delà d'une certaine longueur, les éléments extrêmes d'un contexte peuvent être quelconques. Ainsi, si on observe, par exemple, qu'un segment *s* apparaît dans les contextes (*CsC'*) et que le contexte de (*CsC'*) peut être quelconque, on rangera tous les contextes (...*CsC'*...) dans une classe d'équivalence unique, classe qu'on notera (*C* - *C'*). Ainsi, le contexte (silence-voyelle) dans lequel apparaît par exemple le segment initial t^h de « tack » peut lui-même appartenir à un contexte quelconque.

Cette remarque conduit donc à définir un nombre *fini* de contextes dans une langue. Le caractère fini de ce nombre résulte de la définition de la notion de contexte comme classe d'équivalence. Une langue peut alors être caractérisée du point de vue phonologique par une matrice dont les lignes représentent les segments élémentaires et dont les colonnes représentent les contextes. La cellule correspondant à la i-ième ligne et à la j-ième colonne de la matrice restera vide si le j-ième segment n'est jamais attesté dans le i-ième contexte. Elle sera marquée d'une croix dans le cas contraire.

On appelle alors segments *complémentaires* les segments qui n'apparaissent jamais dans le même contexte. Deux segments complémentaires correspondent donc à deux lignes de la matrice phonologique ne comportant jamais toutes deux une croix dans la même colonne. Un couple de segments complémentaires est, en d'autres termes, un couple de segments qui ne peuvent être tenus comme structurellement distincts : n'apparaissant jamais dans les mêmes contextes, ils ne peuvent exercer une fonction distinctive l'un par rapport à l'autre.

Si la relation de complémentarité ainsi définie était *transitive*, on n'éprouverait aucune peine à définir sans ambiguïté la notion de « phonème » et à déterminer les « phonèmes » d'une langue par une procédure entièrement mécanique. Un phonème serait alors une classe d'équivalence définie par rapport à cette relation de complémentarité. Supposons, pour fixer les idées, trois segments quelconques s_i, s_j et s_k. Si les relations :

s_i complémentaire de s_j

et s_j complémentaire de s_k

entraînaient nécessairement la vérité de la relation :

s_i complémentaire de s_k,

on pourrait définir un phonème comme un ensemble de segments complémentaires les uns par rapport aux autres. La description structurelle d'une langue serait obtenue par déduction à partir de la définition du phonème comme élément sonore muni d'une fonction de distinction.

Mais la relation de complémentarité n'est pas transitive. Pour résoudre le problème de la classification des segments élémentaires, on est donc obligé d'introduire des règles supplémentaires. Supposons, en effet, qu'on rencontre une situation où un segment s_i serait complémentaire de s_j et où s_j serait complémentaire de s_k, mais où s_i ne serait pas complémentaire de s_k. Si on se contentait de définir un phonème comme une classe de segments complémentaires, il faudrait alors classer s_i et s_j dans le même phonème, s_j et s_k dans le même phonème, s_i et s_k dans des phonèmes distincts, ce qui est contradictoire.

Avant d'exposer les règles supplémentaires que Harris propose d'adopter pour résoudre cette difficulté, faisons une remarque importante. Le recours à la relation de complémentarité pour distinguer entre les phonèmes est une conséquence directe de la conception structuraliste selon laquelle le matériel sonore d'une langue est composé d'un stock de signaux élémentaires. Or cette relation est incapable de conduire à une classification non ambiguë des segments élémentaires. Les règles supplémentaires qu'on va introduire ont donc pour unique fonction d'éliminer cette ambiguïté. Elles ne dérivent pas directement de la théorie du phonème-signal, et peuvent être tenues pour *conventionnelles*. Cela dit, il est clair qu'à partir du moment où on doit introduire des règles conventionnelles dans une axiomatique, la description structurelle de l'objet qui en dérive devient elle-même un produit, non seulement des propriétés intrinsèques de l'objet, mais également de ces règles conventionnelles. Il en résulte qu'elle ne peut être considérée comme *unique*. Cependant, il est clair que la présence de règles conventionnelles est, dans un cas comme celui qui nous occupe ici, une conséquence du contexte. Plus précisément, elle résulte de la contradiction entre un objectif et un moyen. L'*objectif* du phonologue est de classer des segments en phonèmes (classes de segments phénoménalement distincts et structurellement indistincts). Le *moyen* dont il dispose consiste à définir la notion de distinction structurelle par celle de fonction distinctive. Tous les linguistes sont à peu près d'accord à la fois sur l'objectif et sur le moyen, puisqu'une des intuitions majeures de la phonologie structurale réside précisément dans la proposition selon laquelle des sons phénoménalement distincts peuvent n'exercer aucune fonction distinctive. La contradiction réside dans le fait que la relation « appartenir à la même classe » est transitive, tandis que la relation « complémentaire de » ne l'est pas. Une autre manière d'énoncer cette contradiction est de dire que les règles de classement qui dérivent de la considération de la relation de complémentarité ne permettent aucune déduction satisfaisante. Mais il est nécessaire de voir, encore une fois, que l'introduction de règles conventionnelles dans l'axiomatique est une conséquence du contexte logique.

Passons maintenant, brièvement, à l'examen de ces règles conventionnelles.

Il faut remarquer tout d'abord que la définition même de la relation de complémentarité introduit un processus itératif. En effet, à partir du moment où deux segments, reconnus comme complémentaires, sont regroupés dans un même phonème, certains contextes cessent eux-mêmes d'être distincts. Il en résulte que certains segments, qui apparaissaient comme complémentaires, cessent de l'être et doivent être classés dans des phonèmes distincts. Ainsi, lorsqu'on remarque qu'en anglais le segment t^h — correspondant au son *t* suivi d'une légère aspiration — apparaît toujours devant une voyelle et après un silence, tandis que le son *t* non aspiré n'apparaît qu'après une consonne (comme dans « stone »), on est amené à classer *t* et t^h dans le même phonème. Tous les contextes qui ne différaient que par la distinction entre *t* et t^h doivent donc dès lors être tenus pour identiques.

Ce processus itératif n'élimine évidemment pas la nécessité d'introduire des règles conventionnelles : il n'entraîne pas la transitivité de la relation « complémentaire de ».

La première des règles adoptées par Harris dérive du désir de définir les phonèmes comme des entités indépendantes du contexte dans lequel elles apparaissent. Pour cela, on s'efforcera de classer les segments en phonèmes, de telle manière que chaque phonème apparaisse autant que possible — par l'intermédiaire de l'un ou l'autre de ses segments — dans tous les contextes. Si on désigne par l'expression « liberté de variation » le nombre des contextes dans lesquels un phonème apparaît, le problème revient donc à faire en sorte que la liberté de variation de chaque phonème soit maximum. Ainsi, on observe que le *t* non aspiré, qui apparaît par exemple dans « stone », est complémentaire du t^h, qui apparaît par exemple dans « tack »; de même, le *p* de « spend » est complémentaire de t^h. On peut alors avec autant de raison, regrouper en un même phonème ou les segments *t* et t^h ou les segments *p* et t^h. C'est ici que la règle visant à maximiser la liberté de variation des phonèmes intervient. En effet, un phonème qui comprendrait le segment *t* sans comporter le segment t^h ne pourrait, par exemple, apparaître dans le contexte (silence-voyelle) qui caractérise le mot « tack ».

Une deuxième règle vient compléter la première. Elle énonce qu'on doit préférer une décision de classement des segments permettant d'homogénéiser l'environnement des phonèmes. Considérons par exemple le cas où un segment élémentaire *a* apparaît dans les contextes C_1, un segment *b* dans les contextes C_2 et C_3, un segment *c* dans les contextes C_1 et C_2 et un segment *d* dans les contextes C_3. On pourrait donc regrouper dans le même phonème soit *a* et *b* soit *a* et *d*. Cependant, en vertu de la seconde règle, on préférera la première décision, car si on classe *a* et *b* dans le même phonème, on peut également regrouper *c* et *d* dans un phonème distinct, puisque *c* et *d* sont complémentaires. On obtient ainsi deux phonèmes dont les contextes sont les mêmes.

La troisième règle, qui correspond à un souci d'économie, consiste à minimiser le nombre des phonèmes. Ainsi, le choix de l'exemple précédent serait de nouveau justifié par la présente règle.

En effet, si on choisissait de ranger les segments *a* et *d*, qui sont complémentaires, dans le même phonème, l'ensemble des quatre segments *a*, *b*, *c* et *d* devrait être rangé dans trois phonèmes. En effet, *b* et *c* n'étant pas complémentaires, ne pourraient être regroupés. En outre, ils ne pourraient appartenir au phonème (*a*, *d*), ayant tous deux des contextes communs avec (*a*, *d*). En revanche, on peut classer les quatre segments en deux phonèmes en formant les groupes (*a*, *b*) d'une part, (*c*, *d*) de l'autre.

Nous omettrons de nombreuses autres règles de détail qui n'intéressent pas directement notre propos. Elles sont de même nature que celles que nous venons d'analyser.

Cet ensemble de règles épuise les critères formels de classification qu'on peut établir. Pourtant, comme le lecteur peut aisément le constater, il ne permet pas encore d'obtenir une classification satisfaisante des segments élémentaires. Considérons, en effet, l'exemple des quatre segments suivants : p non suivi d'aspiration comme dans « spoil », p^h suivi d'aspiration comme dans « party », t non suivi d'aspiration comme dans « stone », et t^h suivi d'aspiration comme dans « tack ». Les relations de complémentarité sont les suivantes :

p compl. de p^h,
p compl. de t^h,
p non compl. de t,
p^h non compl. de t^h,
p^h compl. de t,
t^h compl. de t.

On peut donc choisir de regrouper en phonèmes soit p et p^h, d'une part, t et t^h, de l'autre, soit p et t^h, d'une part, t et p^h, de l'autre. Il est clair que la première classification paraît plus naturelle que la seconde. Pourtant aucune des règles formelles — dont les plus importantes sont analysées ci-dessus — ne permettent de décider entre les deux solutions. Que l'on prenne l'une ou l'autre des décisions possibles, les environnements des deux phonèmes qu'on aura constitués satisferont en effet aux critères d'économie, de maximisation de la liberté de variation et d'homogénéité des contextes.

Il est donc nécessaire d'introduire un nouvel ensemble de règles, qui tiennent compte de la substance sonore qu'on prétendait éliminer. Car, si la classification qui regroupe *p* et p^h apparaît comme plus naturelle que la classification qui regrouperait *p* et t^h, c'est en fin de compte que *p* et p^h sont, d'un point de vue articulatoire, plus proches l'un de l'autre. De plus, *p* et p^h différent entre eux comme *t* et t^h : les deux segments de chacun des deux groupes sont semblables à un phénomène d'aspiration près. Harris se trouve donc finalement contraint de réintroduire la recherche des « corrélations ». Pour que *a* et *c*, d'une part, *b* et *d*, d'autre part, soient regroupés en phonèmes, il faut, en d'autres termes, que les conditions suivantes soient réalisées :

1. Que *a* et *b* apparaissent tous deux dans une classe de contextes C_1;
2. Que *c* et *d* apparaissent tous deux dans une classe de contextes C_2;
3. Qu'aucun contexte ne soit commun à C_1 et C_2;
4. Qu'il existe un critère par rapport auquel *a* soit à *c* ce que *b* est à *d* (condition qu'on exprime quelquefois par le symbolisme suivant : « $a : c :: b : d$ »).

Ces conditions sont réalisées dans le cas où $a = p$, $b = t$, $c = p^h$ et $d = t^h$. En effet, *p* et *t* apparaissent dans le même ensemble de contextes (C_1). Il en va de même de p^h et t^h : ils apparaissent dans le même ensemble de contextes (C_2). En outre, les contextes dans lesquels apparaissent *p* et *t* sont tous distincts des contextes dans lesquels apparaissent p^h et t^h. Enfin *p* est bien à p^h ce que *t* est à t^h, puisque p^h et t^h se distinguent respectivement de *p* et de *t* par un phénomène d'aspiration. En conséquence, on regroupera *p* et p^h dans un premier phonème, tandis que t et t^h appartiendront à un phonème distinct.

Quelle est la signification de la notion de « structure » dans ce type de contexte?

Visiblement, l'objectif poursuivi par Harris est de définir un *calcul* permettant d'obtenir la *structure* phonologique d'une langue de manière purement déductive et mécanique, afin d'évincer toute trace de subjectivisme. Ce calcul est lui-même la mise en forme d'un ensemble de propositions théoriques très généralement admises par les phonologues. Elles affirment que le matériau sonore d'une langue est un ensemble de signaux; que ces signaux, pour assumer leur fonction, ne doivent pas être le produit du contexte; qu'ils doivent donc être libres d'apparaître dans tout contexte, etc. Cela dit, il est difficile de donner à cette théorie un habillage complètement formalisé. Ce fait provient, d'une part, de ce que l'ensemble des règles formelles ne suffit pas à obtenir dans tous les cas une décision unique. On l'a vu sur l'exemple des quatre segments p, p^h, t et t^h. Il est alors nécessaire de considérer la « substance sonore ». En outre, rien ne permet d'affirmer que les règles formelles elles-mêmes ne puissent, dans certains cas, conduire à des décisions contradictoires : il est possible qu'un classement satisfasse à la règle de maximisation de la liberté de variation tout en violant une autre règle.

Au total, la définition de la notion de structure dans ce contexte peut être représentée par la « formule (2) » du chapitre précédent :

$$A + App(S) \xrightarrow{\text{Calcul}} Str(S).$$

La « structure phonologique » est, en effet, obtenue par application d'une axiomatique à un système de caractéristiques phénoménales. Sans doute ne s'agit-il pas d'une axiomatique exactement au sens du chapitre précédent, puisqu'on est obligé de considérer la « substance sonore » des messages. De même, il ne s'agit pas exactement d'un calcul, puisque la notion de *corrélation* ne peut être exprimée de manière complètement formalisée : en effet, la relation $a : c :: b : d$ suppose que soit isolée une propriété sonore opposant *a* et *b* à *c* et *d*. Mais ces différences sont de simples produits du contexte. Pour s'en assurer, il suffit d'imaginer une langue telle que les règles *formelles* de Harris aboutissent toujours à des décisions uniques et non contradictoires. Dans ce cas, la détermination de la structure serait — au sens le plus strict du mot — un problème de calcul et on pourrait se dispenser complètement de considérer la substance sonore de la langue en question. Tout ce qu'on peut dire, c'est donc que Harris n'a pas réussi à aller jusqu'au terme de sa tentative de formalisation et que, si la considération de la substance sonore n'a qu'un rôle résiduel, elle ne peut être complètement éliminée. Mais il n'en demeure pas moins que la formule (2) définit exactement la signification de la notion de structure dans ce contexte. Une autre manière d'exprimer la même idée est de dire que la théorie de Harris est, en puissance, un modèle de classification, ou, en d'autres termes, un système d'axiomes, à partir duquel il est possible de déterminer — par le calcul — la classification d'un système d'objets. En ce sens, elle peut être comparée à des modèles comme l'analyse factorielle, dont un cas spécial est considéré plus haut, ou à l'analyse de structure latente. En effet, tous ces *modèles* visent à classer un ensemble d'objets à partir d'une théorie posée *a priori*.

La véritable différence entre ce contexte et les

contextes des sections précédentes est en fait que, dans ce cas, la formule (1) à savoir :

$$A + Str(S) \xrightarrow{\text{Calcul}} App(S),$$

est inapplicable. Comme cette formule définit, dans les contextes du chapitre précédent, l'opération de *vérification* qui permet d'éprouver la validité de la théorie $A + Str\ (S)$, on en déduit que la vérification doit être ici d'un autre type.

Les procédures de vérification attachées à ce type d'analyse structurale sont beaucoup moins automatiques que dans les cas précédents. Elles peuvent être extrêmement variées. Mais elles consistent toujours, dans leur principe, à montrer que la « structure » obtenue constitue une théorie explicative des faits attachés à une langue : lorsque le phonologue entreprend de décrire le système des signaux sonores constitutifs d'une langue, il nourrit l'espoir, comme le dit Harris, que cette description facilite l'analyse comparative des langues. De plus, elle doit être importante « du point de vue de la linguistique historique et de la géographie dialectale [1] ». En d'autres termes, vérifier, c'est ici éprouver la fécondité de l'analyse. Plus haut, nous proposions de parler de *vérification indirecte* à propos de ce type de vérification.

Nous ne pouvons nous engager dans la description détaillée des opérations par lesquelles on peut déterminer la validité d'une analyse structurale comme celle que nous venons d'évoquer. Rappelons seulement les démonstrations de Jakobson par lesquelles sont mises en évidence des corrélations entre la description phonologique, d'une part, et des phénomènes comme l'ordre d'apparition des phonèmes chez l'enfant ou l'ordre de disparition des phonèmes chez l'aphasique.

En résumé, on peut dire que, dans les contextes de type 3, dont l'analyse de Harris est un exemple, la notion de « structure » a bien la même signification que dans les contextes précédemment examinés. La « structure » est ici encore, le produit d'une théorie imposée *a priori* à l'objet analysé. Cet objet est constitué, dans l'exemple de Harris, par l'ensemble des segments possibles d'une langue donnée. Ces segments sont considérés comme construits à partir d'un « code » dont on doit supposer l'existence si on veut expliquer la relation biunivoque entre messages et flux sonores. Le problème est alors de rechercher les unités élémentaires de ce code.

La principale différence entre les contextes de type 1 et 2, d'une part, et les contextes de type 3 de l'autre, est que la vérification de la théorie ne prend pas ici la forme simple et *directe* que résume la *formule* (1). Cela dit, rappelons la remarque que nous faisions au chapitre précédent : si la *formule* (1) permet de détecter aisément — dans le cas où elle est applicable — une théorie *fausse*, elle est étrangère aux mécanismes complexes par lesquels une théorie entraîne un degré de conviction plus ou moins élevé. Autrement dit : si les contextes de type 1 et 2 sont bien caractérisés par le fait que la *formule* (1) leur soit applicable, il n'en résulte pas que les théories des types 1 et 2 ne doivent, à l'instar des théories de type 3, faire la preuve de leur *validité*.

Exemple de structures de type 4.

L'exemple de la section précédente est caractérisé par le fait que l'objet analysé est ramené sans artifice à un système *défini*. Sans doute, une langue est un nombre infini de segments possibles. Mais on a vu comment cette difficulté pouvait être surmontée et comment Harris a pu substituer à ce matériau infini une matrice finie dont les colonnes représentent un nombre fini de contextes et les lignes un nombre fini de segments élémentaires.

Dans d'autres cas, il paraît impossible, à la fois de réduire sans arbitraire le système qu'on veut analyser à un système fini et de lui appliquer une théorie hypothético-déductive vérifiable. Comme on s'en souvient, nous avons décidé d'appeler structures de type 4 les structures correspondant à ce type de situation. Manifestement, ces « structures » souffrent d'une double infirmité : d'une part, elles sont contraintes de découper des segments plus ou moins arbitraires à l'intérieur de leur objet. D'autre part, elles ne fournissent pas de critères *directs*, permettant de les accepter ou de les rejeter par une décision dont les principes puissent faire l'objet d'un accord général. En d'autres termes, on ne peut, comme dans le cas des structures de type 1 et 2, vérifier l'analyse structurale en montrant qu'elle fournit des conséquences conformes à la réalité. D'autre part, l'analyse porte ici, non sur des systèmes naturels, comme dans les exemples des types 1 et 3, mais sur des sous-systèmes arbitraires.

Pourtant, la notion de structure a bien la même signification que dans les contextes précédents. Il s'agit encore d'associer à un objet-système une théorie expliquant l'interdépendance de ses éléments.

La situation que nous venons de décrire est caractéristique de l'emploi de la notion de structure en sociologie. Dans cette discipline, la notion de structure est très souvent associée à une démonstration de l'interdépendance des éléments d'un système qu'on peut qualifier de *directe.* Nous voulons dire par là que la description structurelle d'un objet consiste souvent en sociologie, étant donné un ensemble de critères de classification fixés à l'avance, à démontrer que seules certaines combinaisons de ces critères peuvent être empiriquement observées. *L'objectif* de la démonstration est donc strictement identique à celui de Lévi-Strauss-Bush dans l'analyse des structures de la parenté ou à celui de Miller-Chomsky dans leur théorie de l'accentuation de l'anglais : il s'agit bien de démontrer l'implication réciproque des éléments d'un système. Le *principe* de la démonstration est également identique : il s'agit encore de *déduire* l'interdépendance des éléments à partir d'une théorie ou d'un ensemble de propositions *a priori*, supposées acceptables. La distinction réside donc dans les *modalités* de la *démonstration.*

Considérons d'abord un exemple très simple, emprunté à Parsons (46) :

« Examinons d'abord quelques problèmes relatifs à la structure « industrielle » des professions. La caractéristique essentielle de ce type « moderne » de structure est un système de rôles universalistes-spécifiques-affectivement neutres-orientés vers l'accomplissement. Il n'est pas seulement nécessaire que des rôles de ce type existent. Il faut aussi qu'ils s'organisent en systèmes complexes à l'intérieur d'une organisation donnée comme à l'intérieur des complexes écologiques qui lient individus et organisations. Il est exclu qu'un système de rôles comme celui-là soit directement homologue à aucune structure familiale. En d'autres termes : il ne peut se réduire, à l'inverse de nombreuses autres structures sociales, à un réseau d'unités familiales interconnectées[2] » (pp. 177-178).

Avant d'analyser la définition implicite de la notion de structure qui se dégage de ce texte, nous préciserons, pour la commodité du lecteur, certains points de vocabulaire. Pour comprendre ce que Parsons entend par « rôles universalistes-spécifiques-affectivement neutres-orientés vers l'accomplissement », on peut avoir recours à un exemple simple. Imaginons le « rôle » que, dans nos sociétés industrielles modernes, on désigne par l'expression « employé de banque ». Dans l'exercice de ses fonctions — dans l'accomplissement de son « rôle » —, cet employé a affaire à des clients. Son rôle à leur égard implique qu'il les traite de la même façon : le rôle est donc « universaliste ». Par contraste, la « piété filiale » s'adresse à des individus bien déterminés (les parents de l'*ego*). En outre, notre employé ne débattra avec ses clients que de problèmes bien précis : son rôle est « spécifique ». Par opposition, la relation père-fils colore l'ensemble des échanges impliqués par ces rôles complémentaires. Comme on l'entend, les échanges de l'employé et de ses clients sont en outre situés sur un terrain de « neutralité affective ». De plus, on *devient* employé de banque et on le devient pour réaliser certaines aspirations. Il s'agit donc d'un rôle « orienté vers l'accomplissement ». Par opposition, certains rôles, comme celui de « fils » sont *prescrits*.

Ces points de vocabulaire étant précisés, la signification du texte de Parsons est très claire. Il se ramène à établir un contraste entre certaines sociétés non industrielles, où les professions et emplois exercés sont — sinon déterminés par la situation de l'individu dans le système de parenté — du moins homologues à ce système, et les sociétés industrielles, où les professions et emplois sont dans la plupart des cas indépendants de la situation de l'individu dans le système familial.

Mais Parsons va plus loin. Il ne se contente pas de constater la relation entre deux faits : « structure industrielle des professions », d'une part, et absence d'homologie entre rôles professionnels et rôles familiaux, de l'autre. Il déduit de cette relation la proposition selon laquelle la « structure industrielle » des professions implique une société où les liens familiaux soient réduits à la famille étroite ou famille « conjugale » : « on peut dire à ceux qui préféreraient le système de parenté de l'Europe médiévale ou de la Chine classique au nôtre, qu'ils doivent choisir. Il est possible d'avoir ou ce type de système de parenté ou une société hautement industrialisée, mais non les deux à la fois dans une même société » (p. 178). Plus loin, Parsons s'exprime encore plus nettement : « On peut dire que le système de parenté de type conjugal est celui qui interfère le moins avec une économie industrielle » (p. 178).

Ignorons le fond du débat — qui ne nous intéresse pas ici — pour considérer seulement la représentation particulière attachée à la notion de structure dans ce contexte. Le raisonnement de Parsons est à peu près le suivant : lorsque l'individu est impliqué dans un système de relations familiales étendu — comme dans l'Europe médiévale et dans la Chine classique —, il doit accomplir un grand nombre de « rôles » qui, de par la définition même des rôles familiaux, sont « particularistes », « diffus » (par opposition à « spécifiques »), « affectivement non neutres » et « prescrits » (par opposition à « orientés vers l'accomplissement »). Mais ces rôles, dans la mesure où ils prennent une importance considérable pour le comportement de l'individu, sont incompatibles avec la « structure industrielle des professions ». Cette dernière implique, en effet, que l'individu se détermine en fonction de ses aspirations individuelles; en outre, la mobilité de l'emploi caractéristique des sociétés industrielles et l'orientation des rôles professionnels « vers l'accomplissement » sont en contradiction avec l'immobilité impliquée par les rôles dérivés des relations familiales, etc.

La notion de structure est donc bien associée à l'idée qu'on ne peut trouver dans une société n'importe quelle combinaison d'éléments. Si on considère l'ensemble des sociétés connues, on constate qu'elles peuvent différer entre elles par un très grand nombre de traits : l'organisation familiale peut être de type conjugal, comme dans la société industrielle contemporaine; elle peut, au contraire, comme dans l'Europe médiévale ou la Chine classique, être caractérisée par une organisation familiale ramifiée et étendue. On pourrait ainsi classer les sociétés connues selon un certain nombre de critères. Mais l'important est que seul un petit nombre de combinaisons de ces critères apparaîtrait alors comme réalisé, comme Parsons l'indique lui-même, lorsqu'il écrit, par exemple : « D'un point de vue purement taxinomique rien ne justifie l'importance des systèmes de parenté dans les structures sociales » (p. 153); ou « les variations effectivement observées (dans les combinaisons des critères) interviennent dans des limites beaucoup plus étroites qu'on ne pourrait s'y attendre en considérant l'ensemble des permutations et combinaisons logiquement possibles » (p. 157). En d'autres termes, on peut énoncer que les sociétés connues ne réalisent qu'un petit nombre de combinaisons de caractéristiques dans l'ensemble des combinaisons logiquement possibles. Mais cela provient de ce que ces caractéristiques, loin d'être indépendantes les unes des autres, s'impliquent mutuellement. Il faut donc démontrer ces implications. En effet, on ne peut se contenter de les constater : il ne servirait à rien de noter la corrélation entre le système économique et l'organisation familiale, si on ne montre pas que cette corrélation est la conséquence d'un ensemble de propositions théoriques. Ne peut-on, en effet, imaginer, à partir du moment où on tiendrait cette corrélation pour une simple vérité d'expérience, que des sociétés futures viennent la contredire?

Bref : la notion de structure est ici encore associée à un objectif bien défini. Il s'agit de construire une théorie qui permette d'expliquer ou — plus exactement — de *déduire* l'interdépendance des éléments d'un objet-système.

On pourrait multiplier les exemples dans l'œuvre de Parsons pour montrer que la notion de structure est toujours associée à une démarche analogue à celle que nous venons de décrire.

La même définition de la notion de structure est fréquemment attestée dans les sciences sociales. Citons, par exemple, un texte de R. Aron, extrait d'une communication sur la notion de « structure politique ». « L'économie est, dans cette recherche (dans la recherche des structures), en avance sur la science politique. Elle a dégagé effectivement nombre de variables ou de fonctions *qui ne peuvent pas ne pas se retrouver* dans toutes les économies d'un certain type. Elle est donc en voie de reconnaître les régimes, puis les systèmes concrets et les structures de ces systèmes. »

Si on ignore les distinctions introduites par R. Aron (1) entre régimes, systèmes concrets et structures pour ne retenir que la représentation formelle de la notion de structure, on voit qu'elle est encore associée à l'idée d'une liaison *nécessaire* entre les caractéristiques d'un système, comme on peut le voir par l'expression que nous soulignons.

La même représentation se retrouve dans la définition donnée par Merton (40) de la notion de « contrainte structurelle » : « La marge de variation des entités qui peuvent remplir une fonction donnée dans une structure sociale n'est pas illimitée. [...] L'interdépendance des éléments d'une structure sociale limite les possibilités effectives de changement des substituts fonctionnels [...] » (pp. 52-53). Merton remarque ensuite, comme le fait Parsons lorsqu'il dénonce l'impossibilité de retourner à un système de parenté non conjugal dans une économie hautement industrialisée, que l'ignorance de ces *contraintes structurelles* est le mécanisme de base de la pensée utopiste.

Remarquons — encore une fois — que tous les textes que nous venons de citer mettent en évidence l'idée d'une *nécessité* des implications logiques entre les différentes variables qui caractérisent un système. Aron parle de variables et de fonctions qui « ne peuvent pas ne pas se retrouver » dans les systèmes économiques. De même, Merton parle de l' « intervalle de variation possible » des équivalents fonctionnels d'un élément, ce qui implique évidemment que certains équivalents fonctionnels soient impossibles. Parsons affirme de même que certains systèmes d'organisation familiale sont incompatibles avec certains systèmes économiques. Murdock (43) montre de même (nous aurons l'occasion de revenir plus en détail sur cet exemple) que, lorsque la résidence est matrilocale ou avunculolocale, la filiation n'est jamais patrilinéaire. Nadel (44) montre, pour sa part, que « un père Nupe peut employer ses fils à son bénéfice ou non et verser ou non une dot pour les marier » (p. 43); cependant, des quatre combinaisons possibles de ces deux options, trois seulement sont possibles : celle qui consisterait à doter son fils sans pouvoir l'employer est exclue.

Mais si la cooccurrence de certaines caractéristiques est ressentie comme *nécessaire* ou — ce qui revient au même — si la coprésence de certains éléments est ressentie comme *exclue*, il faut bien qu'on soit en mesure de démontrer cette nécessité. Inversement, pour démontrer cette nécessité, il faut que l'interdépendance des éléments soit supposée nécessaire. Tels sont — répétons-le — les principes qui fondent l'usage de la notion de structure, dans ce type de contextes comme dans les autres.

Effectivement, on remarque que les « analyses structurelles » proposées par les auteurs que nous venons de citer sont toujours associées à une axiomatique à partir de laquelle on déduit l'interdépendance des éléments d'un système ou l'impossibilité de certaines combinaisons. Cette axiomatique a même fait l'objet d'un essai de définition auquel Parsons a donné le nom de « structuro-fonctionnalisme ». Mais nous laisserons provisoirement de côté la conjonction entre structure et fonction, dont l'obscurité a été suffisamment dénoncée.

Reprenons, pour analyser la forme des axiomatiques associées au contexte que nous examinerons maintenant, la démonstration de Parsons : si une société impose à ses membres de tenir, dans la majeure partie de leurs activités, des rôles définis comme « universels », » spécifiques », « affectivement neutres », « orientés vers l'accomplissement », cela *implique* que leur résidence ne soit pas obligatoirement fixée, qu'ils puissent choisir leur activité professionnelle, qu'ils puissent librement entrer en relations avec des personnes appartenant à leur propre société et avec lesquelles ils aient pourtant par principe des rapports à la fois neutres d'un point de vue affectif et limités à certains types de relations. D'un autre côté, si on suppose le cas-limite d'une société où les « autres » seraient tous des parents, on doit admettre un système de rôles « particuliers », « diffus », « non neutres affectivement » et « prescrits ».

Formellement, le raisonnement est donc le suivant :

1. Une caractéristique *A* implique les états de choses *a*, *b*, ..., *n;*
2. Une caractéristique *B* implique les états de choses *a'*, *b'*, ..., *m;*
3. Les états de choses *a*, *et a'*, par exemple, sont incompatibles;
4. En conséquence, les caractéristiques *A* et *B* ne peuvent être simultanément présentes dans une société.

Naturellement, le degré de confiance qu'on accordera à une théorie de ce type dépend essentiellement de la foi qu'on accordera aux prémisses énoncées sous les numéros 1 et 2. Mais le point qu'il nous importe de souligner, c'est que toutes les fois qu'on décrit la « structure » d'un système social dans les contextes auxquels nous nous référons ici, on peut toujours mettre en évidence un raisonnement grossièrement identique à celui que nous venons de décrire.

Remarquons incidemment que ce type de raisonnement caractérise le fonctionnalisme moderne de Merton, par opposition au fonctionnalisme absolu de Radcliffe-Brown ou de Malinowski. La grande différence entre les deux types de fonctionnalisme réside, à notre sens, dans la forme des raisonnements qu'ils emploient. En effet, les tenants du fonctionnalisme absolu prétendent pouvoir démontrer la nécessité de la *coprésence* de certaines caractéristiques dans un système social. Au contraire, les tenants du fonctionnalisme relatif se donnent le droit de démontrer que des caractéristiques sociales *s'excluent* réciproquement dans un système, mais non qu'elles s'impliquent mutuellement. L'avantage logique du fonctionnalisme « relatif » est qu'il peut être caractérisé par le type de raisonnement que nous schématisons plus haut. Or ce raisonnement correspond à une suite d'opérations clairement définies. En revanche, il est impossible de formaliser les démarches du fonctionnalisme absolu : comme l'a montré Merton, on ne peut à proprement parler démontrer que des éléments sociaux doivent être simultanément présents. Par exemple, on ne peut démontrer, comme croyait pouvoir le faire Malinowski, qu'une certaine forme de société entraîne nécessairement certains besoins, qui, à leur tour, entraînent la nécessité de la magie. On peut expliquer l'existence de la magie par ces besoins, mais on ne peut en déduire la *nécessité* de la magie. En revanche, on peut fort bien montrer que, de deux caractéristiques, il suit des états de choses contradictoires. Ainsi, tandis que les raisonnements du fonctionnalisme absolu sont non formalisables, ceux du fonctionnalisme relatif sont formalisables. En d'autres termes, on peut démontrer que deux caractéristiques sociales s'excluent mais non qu'elles s'impliquent. Or, si on examine la forme du raisonnement caractéristique des démarches du fonctionnalisme relatif (p. 88) on remarque qu'il est notamment caractérisé par le fait que le mot « fonction » n'y apparaît pas, alors qu'il serait impossible de s'en passer si on voulait schématiser de la même manière les raisonnements du fonctionnalisme absolu.

Cette parenthèse close, on voit que la structure des systèmes sociaux que décrit le structuro-fonctionnalisme est, dans tous les cas, le résultat d'un raisonnement déductif appliqué à certaines prémisses. La notion de structure a donc bien dans ce contexte la même définition que dans les contextes précédents. Cette définition peut, de nouveau, être symbolisée par la *formule* (2) :

$$A + App\,(S) \xrightarrow{\text{Calcul}} Str\,(S).$$

Naturellement, le calcul qui permet de passer de $A + App\ (S)$ à $Str\ (S)$ revêt dans ce cas une forme élémentaire : il s'agit d'une simple déduction de type logique. Quant aux procédures de vérification, elles sont, comme dans les contextes de type 3, *diffuses*. Il s'agit donc d'entraîner l'adhésion en montrant que la théorie explique simplement un nombre de faits aussi grand que possible.

Avant d'examiner un dernier exemple de structure de type 4, exemple qui viendra confirmer la généralité de la définition de la notion de structure que nous défendons ici, il est bon de résumer les considérations sur la notion de « vérification » que nous avons présentées, de façon éparse, au long de ce mémoire.

La notion de vérification.

Comme on l'a compris, la thèse que nous prétendons défendre ici est que, dans le contexte des définitions effectives, la notion de structure a une signification simple, qui peut être aisément résumée en disant qu'une structure est toujours le produit d'une théorie *a priori* destinée à expliquer un objet-système en tant que système. Il se peut que cette définition apparaisse décevante, voire banale. Mais nous avouons ne pas voir comment la notion de structure pourrait être définie autrement, et nous sentir profondément réfractaire à une position de type *réaliste* qui postulerait l'existence — dans les choses — de « structures » qu'il s'agirait de découvrir. D'autre part, nous ne voyons pas que le structuralisme soit autre chose que la recherche de théories applicables à des systèmes conçus en tant que systèmes. En d'autres termes, il s'agit moins d'une méthode que d'une classe de théories dont le caractère spécifique est qu'elles prétendent rendre compte du caractère systématique des objets qu'elles considèrent.

Par voie de conséquence, le sentiment d'homonymie provoqué par la notion de structure n'est pas le résultat d'une confusion logée au niveau de cette notion — qui est au contraire parfaitement claire et dépourvue d'ambiguïté —, mais de la *qualité* des théories qui accompagnent nécessairement une « analyse structurale ». En outre, la qualité de ces théories est, comme le montre notre distinction entre les quatre types de contextes, largement dépendante des caractères propres de l'objet analysé.

Peut-on douter en effet que, lorsqu'on a affaire à un ensemble de systèmes *définis* et aisément observables, comme c'est le cas de Lévi-Strauss ou Bush dans leur analyse de règles de la parenté, on soit dans une situation plus confortable que lorsqu'on prétend, comme Max Weber ou Parsons, analyser la cohérence entre le système économique et le système de valeurs caractéristiques d'une société? Ou bien considérons le linguiste qui entreprend une théorie de l'accentuation de l'anglais : sans doute s'agit-il d'une tâche difficile et qui n'est pas près de voir son terme. Mais l'important n'est pas là. Ce qu'il faut remarquer, c'est qu'il est placé — de par la nature même de son objet et de son objectif — dans une situation *quasi expérimentale*. En effet, observons-le au travail : il considère d'abord un petit nombre de segments, qui constituent en eux-mêmes des systèmes définis et dont la description s'épuise dans l'énoncé d'un petit nombre de caractères. Il tente alors d'énoncer une théorie qui permette de déduire les faits d'accentuation caractérisant les segments considérés. Cela fait, il peut, utilisant une démarche analogue à la procédure de vérification qui caractérise les sciences expérimentales, prélever de nouveaux segments qui infirmeront ou confirmeront la théorie, lui permettant ainsi de l'amender ou de l'enrichir.

Le sociologue qui se propose de démontrer la *cohérence* des institutions d'une société globale est évidemment dans une position beaucoup moins favorable. En conséquence, il produira une théorie dont la validité sera beaucoup plus difficile à apprécier. Ce fait engendrera l'impression non fondée que l' « analyse structurale » du linguiste n'a rien de commun avec celle du sociologue et que l'emploi du terme *structure* dans les deux situations est un simple abus verbal.

Plus haut, nous parlons en termes relativement vagues, de la *qualité* des théories associées à une analyse structurale. Il est bon de résumer d'un mot ce que nous entendons par là.

Personne ne contestera qu'une théorie est un

système hypothético-déductif, ni qu'une théorie doive être *vérifiée*. Mais, si la première proposition est dépourvue d'ambiguïté, la seconde invite à se demander ce qu'il faut exactement entendre par *vérification*.

Il existe à ce sujet une position à laquelle nous avons à plusieurs reprises fait allusion ici : celle de Popper (45). Elle consiste à affirmer, d'une part, que la notion de vérification, étant obscure et non formalisable, doit être remplacée par celle de *falsification*. En effet, on peut — dans certains cas — décider sans ambiguïté qu'une théorie est fausse : il suffit pour cela de montrer que certaines des conséquences de la théorie sont en désaccord avec l'observation. En revanche, on ne voit pas comment on pourrait démontrer qu'une théorie est vraie, sauf si on admet qu'une théorie dont on n'a pas réussi à démontrer la fausseté est par là nécessairement vraie. Cela dit, Popper propose de considérer comme *scientifiques* les théories construites de telle manière qu'elles puissent être démontrées fausses. Il ne s'agit pas, soulignons-le, de savoir si ces théories sont effectivement fausses ou non fausses, mais seulement de savoir si elles *peuvent* être démontrées fausses. On aboutit ainsi à une dichotomie entre deux types de théories : les théories falsifiables ou scientifiques et les théories non falsifiables, que Popper appelle parfois *métaphysiques*.

Si cette conception traduit convenablement certains phénomènes historiques relevant des sciences de la nature, comme le passage de la physique aristotélicienne à la physique galiléenne, nous doutons cependant qu'elle fournisse une interprétation complètement satisfaisante de la notion de vérification. Plus précisément, notre sentiment est qu'il importe non seulement de distinguer entre théories falsifiables et théories non falsifiables — distinction évidemment cruciale —, mais aussi de distinguer divers niveaux de falsification. Cela est important pour notre propos, car si la notion de structure était associée à des théories qui devraient être nécessairement ou falsifiables ou non falsifiables, on ne pourrait soutenir qu'elle revêt le même sens dans les deux cas : l'équivoque de la notion de théorie se répercuterait sur la notion de structure.

Nos remarques précédentes tendent en fait à montrer qu'il existe bien des niveaux de falsification multiples, et que c'est par une simplification abusive — quoique utile — qu'on peut s'en tenir à la dichotomie popperienne. Évoquons de nouveau, à ce propos, le contraste entre la phonologie de Chomsky-Miller, dont nous avons décrit un échantillon plus haut, et celle de Harris. Sans doute, la théorie de l'accentuation de l'anglais proposée par les premiers est-elle falsifiable, en ce sens que, si elle était fausse, elle conduirait à déduire de façon incorrecte l'accentuation de tel ou tel segment. Un critère direct de ce type n'existe pas dans la théorie de Harris. Pourtant, elle permet d'expliquer un certain nombre de faits liés à la géographie dialectale, au changement diachronique, etc. Il existe donc, ici aussi, des critères de falsification, bien qu'ils soient dans ce cas beaucoup plus diffus que dans le cas de la théorie de Chomsky-Miller.

De manière très sommaire, on peut dire que la dichotomie popperienne se fonde sur un critère particulier, alors qu'on peut établir toute une série de critères permettant d'apprécier la validité d'une théorie. Il y a critère de falsification selon Popper lorsque certaines conséquences d'une théorie T peuvent être mises à l'épreuve de la réalité. Ce critère oppose évidemment deux classes de théories bien distinctes. Mais il en existe d'autres. Ainsi, dans le cas de la phonologie de Jakobson, on constate que l'ordre de complexité des phonèmes est le même que certains ordres empiriques, comme l'ordre d'apparition des phonèmes chez l'enfant. Un tel fait confirme la théorie, mais, comme la théorie elle-même ne permet aucune affirmation relative à ces ordres empiriques, il ne s'agit pas à proprement parler d'un critère de falsification. D'autres distinctions peuvent encore être présentées : ainsi, supposons deux théories falsifiables T et T', donc deux théories égales du point de vue du critère de Popper. Si, de T, on tire de nombreuses conséquences C_1, C_2, ... C_n comparables avec la réalité, tandis qu'on ne peut tirer de T' qu'une seule conséquence comparable avec la réalité, on accordera une confiance plus grande à T qu'à T' (si T et T' sont toutes deux non réfutées). Ce critère est celui que nous appelons plus haut « critère de généralité ». Rappelons-nous aussi le critère de compréhensivité. Tous ces critères, et non seulement le critère de falsification de Popper, permettent d'attribuer aux théories des niveaux de validité variables.

Sans nous engager plus avant dans une discussion de la notion de *vérification* dans les sciences sociales, discussion qui mériterait à elle seule un mémoire entier, nous aimerions conclure ce livre sur un exemple de synthèse qui concrétisera ce concept de « niveaux de vérification », et qui permettra de confirmer une nouvelle fois que le niveau de vérification auquel se situe une théorie dépend essentiellement de l'objet analysé.

Structure sociale et cohérence des institutions.

Cet exemple consistera en une brève comparaison entre deux théories relatives à la cohérence des institutions sociales : l'analyse des structures de la parenté dans la tradition de Lévi-Strauss ou de Bush, d'une part, la théorie de la structure sociale de Murdock, d'autre part.

Si on résume l'analyse que nous faisions plus haut à propos de l'analyse des structures de la parenté, on peut dire :

1. Que l'objet de l'analyse est un ensemble de systèmes définis (les règles du mariage caractéristiques de chaque système);

2. Que la théorie permet de construire un critère de vérification direct, puisqu'on peut vérifier que les règles du mariage déduites de la théorie correspondent effectivement aux règles observées par une société déterminée. On dira qu'il s'agit d'une théorie à niveau de vérification élevé.

Considérons, par contraste, la théorie de Murdock (43). Le problème posé est bien le même : il s'agit d'expliquer la cohérence des institutions sociales. En d'autres termes, il s'agit de montrer que les institutions sociales s'impliquent les unes les autres, ou qu'une société ne « choisit » jamais un agrégat d'institutions particulières, mais un *système* d'institutions. Mais si l'objectif poursuivi par Murdock est identique à celui de Lévi-Strauss, l'*objet* est différent. Il ne s'agit pas ici de démontrer la cohérence des seules règles du mariage, mais de l'ensemble des institutions des sociétés archaïques. (On sait qu'à cette fin, Murdock avait réuni un ensemble d'observations systématiques concernant 250 sociétés archaïques. Les institutions observées allaient des coutumes associées au mariage — dot, services obligatoires rendus à la belle-famille, mariage sans contrepartie — aux modes de stratification sociale, en passant par les règles de résidence, de filiation, d'héritage, etc.).

La théorie de Murdock consiste à poser un certain nombre de principes permettant de déduire la cohérence de ces règles. Dans l'idéal, on peut imaginer une formalisation de cette théorie, qui permettrait, comme dans le cas des théories de Chomsky-Miller ou de Lévi-Strauss-Bush, de *déduire* l'ensemble des institutions caractéristiques de chaque société. Mais lorsqu'on examine un nombre de sociétés aussi important et qu'on s'intéresse à des institutions aussi variées, on ne peut manquer d'introduire des facteurs d'ordre spécifique qui viennent perturber la cohérence postulée. De plus, si les règles du mariage peuvent être conçues comme une solution rationnelle à un problème qui — s'il n'est pas nécessairement perçu comme tel — peut être formulé en termes explicites, il n'en va pas de même si on considère l'ensemble des institutions. On peut aisément énoncer qu'il paraît plus naturel, par exemple, que des règles de filiation de type matrilinéaire soient associées à un type de résidence matrilocal ou avunculolocal. Mais on ne voit pas qu'on puisse *déduire* la cooccurrence de ces règles, comme on déduit la cooccurrence des règles du mariage. Dans le second cas, la modification d'une des règles entraîne une modification de l'économie générale du système : car c'est l'ensemble des règles du mariage prises simultanément qui permet de réaliser un équilibre dans les échanges de femmes. Dans le premier cas, il résulterait simplement de la cooccurrence de règles de filiation matrilinéaires et de règles de résidence patrilocales, ce qu'on pourrait appeler un manque de « simplicité » du système. Tout ce qu'on peut dire, c'est donc qu'une règle x appelle plus raisonnablement une règle y qu'une règle y'. A quoi s'ajoute le fait qu'on peut seulement juger de l'adéquation d'une règle par rapport à l'ensemble des autres règles. Il en résulte que la cooccurrence des règles x et y peut être convenable dans une société qui comprend aussi la règle z, et inattendue si la société ne possède pas la règle z. En conséquence, même si on est capable de démontrer que x doit entraîner la présence de y, on ne vérifiera jamais que x entraîne *toujours* la présence de y. Cela explique que la technique de « vérification » employée par Murdock appartienne à un niveau plus « faible » que celle qui caractérise l'analyse des structures de la parenté. Elle consiste à vérifier que les *fréquences* de cooccurrence varient — dans le sens prédit par la théorie — selon les règles considérées.

Considérons, par exemple, les cooccurrences entre règles de filiation et règles de résidence (tableau I) : on y voit que ces cooccurrences sont inégalement fréquentes. Ainsi, la résidence patrilocale ou matri-patrilocale est associée dans plus de la moitié des cas à une filiation de type patrilinéaire et dans moins d'un cas sur dix à une filiation de type matrilinéaire. Dans un cas — à peu près unique dans les tableaux présentés par Murdock — une règle (résidence matrilocale ou avunculolocale) est exclusive d'une autre (filiation patrilinéaire ou filiation double).

La signification de ces corrélations peut être mieux comprise encore par un autre exemple. D'un ensemble de postulats, Murdock déduit le « théorème » suivant (le terme est de Murdock lui-même) : « En présence de polygynie non sororale, les collatéraux étrangers à la famille polygynique tendent à être désignés par des termes différents de ceux qui désignent les parents au premier degré de même sexe et de même génération. »

TABLEAU I. — RELATION ENTRE RÉSIDENCE ET TYPE DE FILIATION [d'après Murdock (43)]

Règles de résidence	Filiation matrilin.	Filiation patrilin.	Filiation double	Filiation bilatérale	Total
Matrilocale ou avunculo-locale	33	0	0	31	64
Patrilocale ou matri-patrilocale	15	97	17	39	168
Néolocale ou bilocale	4	8	1	23	36
Total	52	105	18	75	250

Nous ne nous arrêterons pas ici sur la question de savoir comment ce *théorème* est déduit de la théorie de Murdock. Le seul point est de montrer les difficultés de sa vérification. Pour vérifier la proposition avancée, Murdock tente de mettre en évidence des différences dans les fréquences de cooccurrence. Cependant, comme on le constate au tableau II, cet essai aboutit à un quasi-échec : si on considère la seconde ligne du tableau, on remarque, par exemple, que — contrairement aux prédictions du théorème — la femme du frère du père et la mère sont désignées par des termes différents avec une égale fréquence, qu'on ait affaire à un système de polygynie non sororale ou non. Dans les autres cas, les différences de fréquences vont bien dans le sens prévu; mais elles sont faibles et peu significatives.

TABLEAU II. — TERMES DÉSIGNANT LES PARENTS EN FONCTION DE LA FORME DU MARIAGE; LES CHIFFRES SONT DES EFFECTIFS [d'après Murdock (43) (p. 144)]

Couples de parents	Polygynie non sororale		Autres formes de mariage	
	termes différents	même terme	termes différents	même terme
Sœur de la mère-Mère	53	58	48	70
Femme du frère du père-Mère	36	46	37	45
Fille du frère du père-Sœur	28	84	23	95
Fille de la sœur de la mère-Sœur	30	78	23	90
Fille du frère-Fille	38	61	39	73
Fille de la sœur de la femme-Fille	22	28	16	24

Pourtant, le théorème est sans doute vrai : le fait qu'il ne soit pas démontré par le tableau II résulte de ce que la polygynie non sororale est très fréquemment associée à un type de résidence patrilocal et à un type de filiation patrilinéaire. Or ces facteurs exercent, comme le montrent d'autres résultats, une influence inverse sur les différenciations terminologiques. De fait, si on élimine l'influence de certains de ces facteurs, en abandonnant une partie de l'échantillon, on peut établir un nouveau tableau de corrélation, où les prédictions déduites du théorème sont cette fois mieux satisfaites (tableau III). Pour le voir, considérons un seul exemple : dans le tableau précédent, la femme du frère du père et la mère étaient désignées par des termes différents dans à peu près 45 % des cas, que le système comporte la polygynie non sororale ou non.

Le pourcentage est maintenant égal à 60 dans les systèmes de polygynie non sororale et à 45 dans les autres.

TABLEAU III. — TERMES DÉSIGNANT LES PAIRES DE PARENTS EN FONCTION DU TYPE DE MARIAGE [d'après Murdock (43) (p. 145)]

Couples de parents	Polygynie non sororale		Autres formes de mariage	
	termes différents	même terme	termes différents	même terme
Sœur de la mère-Mère	25	19	34	51
Femme du frère du père-Mère	16	11	23	29
Fille du frère du père-Sœur	12	33	18	69
Fille de la sœur de la mère-Sœur	11	22	20	68
Fille du frère-Fille	23	17	28	50
Fille de la sœur de la femme-Fille	7	9	12	16

On peut donc dire que si le *niveau de vérification* qui caractérise la théorie de Murdock est plus faible que celui auquel atteint la théorie de Lévi-Strauss-Bush, il faut en chercher la raison dans les caractéristiques de l'objet analysé. Ces caractéristiques déterminent dans une large mesure le *niveau de vérification maximum* auquel on peut prétendre. Il est facile de les reconnaître : elles vont du fait qu'on se propose d'analyser la cohérence *générale* des institutions sociales — et non, comme dans l'analyse des structures de la parenté, celle d'un ensemble particulier de règles — au fait qu'on dispose d'une population de sociétés de dimension modeste. Or ce sont là des circonstances qu'on ne peut guère modifier.

Pourtant, Murdock est placé dans une situation exceptionnellement favorable, si on le compare, par exemple à Parsons. On conçoit donc qu'on trouve des théories situées à un « niveau de vérification » plus bas que la théorie de Murdock, elle-même située à un niveau de vérification plus bas que la théorie des structures de la parenté.

Il est intéressant de remarquer que dans l'analyse des règles *terminologiques* associées aux systèmes de parenté, la *théorie* de Murdock prend la forme d'un système hypothético-déductif *général.* Toutes les propositions émises — qui sont vérifiées par des tableaux de contingence analogues à ceux que nous présentons plus haut — sont, en d'autres termes, déduites d'une théorie unique. Une des propositions de cette théorie générale est, par exemple, qu'il existe des *égalisateurs* (« equalizers ») sociaux, constitués par les règles de descendance, les formes du mariage, etc., qui tendent à supprimer les différences entre certains types de parenté et à provoquer l'adoption de termes uniques pour les désigner. De cette théorie, on déduit par exemple la proposition selon laquelle la présence de règles de succession de type patrilinéaire doit entraîner l'assimilation des termes par lesquels on désigne la fille du frère et la fille. De même, on déduit le théorème auquel il est fait allusion plus haut : « En présence de polygynie sororale, les termes désignant les parents au premier degré tendent à être étendus aux collatéraux par les femmes de même sexe et de même génération. »

En revanche, lorsqu'il s'agit d'analyser, non plus seulement la cohérence du système terminologique associé aux relations de parenté, mais l'ensemble des règles et institutions des sociétés archaïques, la théorie prend la forme d'un ensemble de théories *partielles*, à savoir de théories distinctes les unes des autres, dont chacune ne permet de déduire qu'un tout petit nombre de théorèmes et le plus souvent un théorème unique.

Pour conclure, considérons les quatre théories suivantes, que nous prenons à titre d'exemples :

1. Analyse des structures de la parenté (Lévi-Strauss-Bush);
2. Analyse des systèmes terminologiques associés aux relations de parenté (Murdock);
3. Analyse de la cohérence des institutions (Murdock);
4. Analyse des systèmes sociaux (Parsons).

On peut systématiser les remarques précédentes en disant que lorsqu'on passe de la théorie 1 à la théorie 2, de la théorie 2 à la théorie 3 et de la théorie 3 à la théorie 4, on passe chaque fois à un niveau de vérification inférieur.

Dans le cas de Lévi-Strauss, la théorie est *générale* et *exacte*. Elle permet, en d'autres termes, de déduire l'ensemble des règles du mariage caractéristique d'une société. Dans le cas de la théorie « terminologique » de Murdock, la théorie est encore *générale*, mais on ne peut déduire *exactement* les règles adoptées par une société particulière. On doit se contenter d'affirmer qu'en présence de telles et telles institutions, il est plus *probable* de trouver dans une société telle règle plutôt que telle autre. Malgré ce caractère « probabiliste » des théorèmes, la théorie se situe pourtant à un niveau de vérification élevé, dans la mesure où l'ensemble des théorèmes est déduit d'une théorie unique : chacun de ces théorèmes étant confirmé par l'observation, il en résulte que la confiance qu'on peut avoir dans la théorie est elle-même très grande. Naturellement, cette confiance est moins grande lorsqu'on a affaire — comme dans le cas de la théorie murdockienne de la cohérence des institutions — à un ensemble de théories partielles, puisque chacune de ces théories n'est alors confirmée que par un petit nombre de théorèmes (quelquefois par un théorème unique). Cependant, il existe dans ce cas un critère explicite, quoique probabiliste, qui permet de *falsifier* chacune de ces théories partielles. Quand on passe enfin à l'analyse parsonienne des systèmes sociaux — ou à toute théorie analogue — non seulement on a affaire à un ensemble de théories partielles plutôt qu'à une théorie générale, mais il est de plus impossible de définir un critère de falsification dépourvu d'ambiguïté. Dans ce cas, la conviction est entraînée par des mécanismes psychologiques complexes. Nous résumons ces distinctions au tableau IV.

Mais il faut remarquer — encore une fois — la corrélation étroite entre le niveau de vérification atteint et les caractéristiques de l'objet étudié. Dans le cas de Lévi-Strauss, cet objet est défini. En outre, il constitue un système *clos:* les règles du mariage peuvent être analysées à partir des seules règles du mariage. Dans la théorie « terminologique » de Murdock, le système analysé est bien défini, mais on est obligé, pour expliquer les usages linguistiques associés aux systèmes de parenté, de recourir à une information qui couvre potentiellement l'ensemble des institutions. Car les règles de résidence ou de filiation — et bien d'autres — tendent à provoquer

TABLEAU IV. — CLASSIFICATION DE QUATRE THÉORIES, EN FONCTION DES NIVEAUX DE VÉRIFICATION QUI LEUR SONT APPLICABLES

CRITÈRE DE FALSIFIABILITÉ	THÉORIES	
	générales (une théorie unique explique un grand nombre de faits)	partielles (des théories nombreuses expliquent chacune un petit nombre de faits)
Applicable	Théorie de Lévi-Strauss - Bush (théorie *exacte*). Théorie terminologique de Murdock (théorie *probabiliste*).	Théorie de Murdock sur la cohérence des institutions.
Non applicable		Analyse de la structure des systèmes sociaux chez Parsons.

des associations ou dissociations terminologiques. Dans la théorie murdockienne de la cohérence des institutions, l'objet est *indéfini :* en effet, il est impossible de décrire exhaustivement les institutions d'une société. Cependant, on dispose dans ce cas d'une large base comparative : en conséquence, il est possible d'établir des critères de falsification de type statistique. Dans le cas d'une analyse comme celle de Parsons enfin, l'objet est indéfini et la base comparative très étroite. Presque nécessairement, la « théorie » doit donc prendre la forme d'un ensemble de théories partielles auxquelles il est impossible d'associer des critères de falsification définis, sans que la « théorie » soit pour autant incapable — encore une fois — d'entraîner la conviction.

Pour résumer d'une phrase ces considérations finales : une structure est toujours la théorie d'un système — et n'est rien d'autre. Cela dit, ces théories peuvent se situer à des niveaux de vérification variables, qui dépendent essentiellement des caractères du système considéré, de la population des systèmes auxquels on peut le comparer et d'autres facteurs à propos desquels la liberté d'intervention du chercheur est limitée. Il est donc à craindre que la notion de structure reste longtemps encore homonymique, c'est-à-dire qu'on la trouve associée dans les sciences sociales à des théories situées à des niveaux de vérification très différents.

CONCLUSION

Nous nous contenterons, dans ces remarques de conclusion, de rappeler les thèses défendues dans ce livre.

L'intérêt le plus visible des méthodes « structuralistes », telles qu'on les trouve appliquées par exemple dans l'analyse des structures de la parenté ou dans la phonologie structurale, est d'introduire un ordre explicatif dans une incohérence phénoménale. Les règles d'autorisation et d'interdiction du mariage de certaines sociétés apparaissent à première vue incompréhensibles : pourquoi le mariage avec la fille du frère de la mère est-il autorisé alors que le mariage avec la fille du frère du père est interdit? De même, des ensembles de règles de grammaire comme les règles de l'accentuation de la langue anglaise paraissent plutôt être des agrégats de propositions particulières que des systèmes organisés : pourquoi la voyelle notée graphiquement par le symbole « e » est-elle escamotée dans la prononciation de « compensation » et discrètement audible dans la prononciation de « condensation », mots pourtant fort proches par leurs propriétés phonologiques? Ou bien considérons les règles de dénomination des parents dans les sociétés archaïques. Elles apparaissent, à première vue, comme des faits d'ordre contingent qu'il s'agit seulement d'enregistrer. Car, comment expliquer par exemple que la fille de la sœur du père soit appelée « sœur » dans certains cas, mais non dans d'autres?

De même, les emplois du terme « structure » apparaissent à première vue anarchiques. Le même mot est visiblement employé dans des sens différents et employé dans le même sens que d'autres mots. Collection d'*homonymes*, il appartient à une collection de *synonymes*. Plus troublant encore est le fait que — bien qu'on puisse obtenir sans difficulté une définition inductive de la notion de structure capable d'entraîner un accord général — cette définition apparaisse comme peu satisfaisante et, en tout cas, incapable d'expliquer le succès du concept. En outre, comment expliquer que le même mot soit employé à propos de méthodes aussi différentes que l'analyse des structures de la parenté et le « structuro-fonctionnalisme » de Parsons? Enfin, comment expliquer que le terme *structure* se soit imposé au point de devenir indispensable, si on ne parvient pas à le doter d'un contenu très différent de celui qu'impliquent des expressions comme « essence », « système de relations », « dépendance des parties par rapport au tout », « totalité », et autres expressions analogues?

Nous espérons avoir apporté, par le présent opuscule, une ébauche de réponse à ces questions.

Tout d'abord, nous avons montré qu'il était indispensable de distinguer entre deux types de contextes de la notion de structure : contextes des définitions intentionnelles et contextes des définitions effectives.

Dans le premier type de contextes, la fonction du mot structure est purement terminologique. Elle sert à formuler — à nommer — des distinctions qui pourraient le plus souvent être décrites par d'autres termes : ainsi l'opposition entre *structure* et *conjoncture* ou l'opposition entre *structure* et *organisation*. Si le mot structure est fréquemment employé dans des cas comme ceux-là, c'est qu'un des termes de l'opposition évoque l'une ou l'autre des « associations synonymiques » de la notion de structure. Il n'est donc nullement étonnant que la notion de structure ait à la fois dans ce type de contexte une définition claire et que ses réalisations soient diverses. Sur un plan paradigmatique, sa définition peut être ramenée à l'énoncé de ses associations synonymiques. Sur un plan syntagmatique, elle peut être définie par sa fonction, qui est de désigner un objet comme *système*, d'opposer deux catégories d'objets, dont les premiers sont conçus comme des *systèmes* et les seconds comme des agrégats, etc. Mais, si ces définitions sont parfaitement intelligibles et dépourvues d'ambiguïté, il n'en résulte pas qu'on puisse donner une définition inductive générale de la notion de structure dans ce type de contextes. La nature même de ces définitions montre au contraire que les « réalisations » de la notion de structure doivent varier avec l'environnement particulier dans lequel elle apparaît. N'est-il pas déraisonnable, en effet, de vouloir qu'elle apparaisse avec le même contenu dans l'opposition (structure/organisation) et dans l'opposition (structure/conjoncture) par exemple?

Une conséquence de ces propositions est qu'il est absurde de débattre — tant qu'on reste sur un terrain terminologique — de la signification qu'il faut accorder à des expressions comme « structure sociale », « structure économique », etc. Pourvu que les notions et distinctions qu'on prétend introduire soient claires, il importe peu qu'on les désigne par un terme plutôt que par un autre. Quand on emploie le mot structure dans ce cas, c'est que — par ses associations synonymiques — il souligne un caractère qu'on prétend accentuer. C'est pourquoi les discussions sur le point de savoir s'il faut définir une notion comme celle de *structure sociale* en l'assimilant à la notion d'organisation ou non, s'il faut y inclure les relations interindividuelles ou s'en tenir aux relations entre groupes, etc., sont parfaitement dénuées de sens et reposent en fait sur une métaphysique *réaliste.*

Si on se tourne maintenant vers l'autre type de contextes, à savoir les contextes introduisant une définition effective de la notion de structure, on constate que cette notion est encore synonyme des expressions que nous citons plus haut : « essence », « système de relations », « totalité non réductible à la somme de ses parties », etc. Mais cette *synonymie* est de même nature que celle qu'on peut déceler entre la notion « hypothèse » et ses *associations synonymiques.* Rappelons l'argument : il est bien vrai qu'une hypothèse est une « affirmation provisoire ». Mais, en même temps, on ne comprendrait pas que le mot « hypothèse » ait pris, comme le confirme l'histoire des sciences, une existence autonome si on ne remarquait pas qu'il est profondément différent de ses synonymes. En effet, il ne suppose rien de moins que la révolution scientifique qui devait fonder les sciences expérimentales. En résumé, une proposition métaphysique et une hypothèse sont toutes deux des affirmations douteuses, mais la seconde seule est une hypothèse, car une hypothèse est une proposition douteuse qui a la propriété de pouvoir être démontrée fausse (ou provisoirement non fausse).

Notre argument est que la même distinction peut

être introduite à propos de la notion de structure. La description structurelle d'un objet s'oppose sans doute à sa description phénoménale comme l'essence s'oppose à l'*apparence.* Sans doute une analyse structurale a-t-elle pour effet de faire apparaître comme *cohérents* des faits incohérents sur le plan phénoménal. Sans doute encore une description structurelle contribue-t-elle toujours à mettre en évidence la dépendance des parties d'un objet par rapport à la *totalité* qu'il constitue. Mais tant qu'on n'a pas dit davantage, on ne peut comprendre, ni que le mot structure se soit séparé de ses « synonymes » (au moins dans certains contextes) au point d'apparaître irremplaçable, ni qu'il soit associé à un certain nombre de révolutions scientifiques, comme celles qui caractérisent la linguistique et l'anthropologie dites précisément « structurales ».

Si on prend conscience de ces faits, la signification de la notion de structure dans le contexte des définitions effectives apparaît pour ainsi dire d'elle-même. Il suffit de discerner ce qui distingue par exemple, la phonétique classique de la phonologie structurale. On trouve alors que, dans le premier cas, l'objet qu'on peut désigner comme la « langue-considérée-du-point-de-vue-sonore » est décrit par le phonéticien un peu à la manière dont un géographe décrit un relief. Dans le second cas, la description est au contraire le résultat d'une théorie déductive et est obtenue par un calcul ou par ce qu'on peut appeler — dans le cas de la phonologie de Harris, par exemple — un « pseudo-calcul ». Ce calcul est lui-même défini à partir d'un certain nombre de propositions *a priori* ou « axiomes ». Ainsi, on posera que deux unités sonores sont *structurellement* distinctes si et seulement si elles exercent une fonction de distinction. Évidemment, rien n'oblige à poser une proposition de ce genre, qui n'est pas une constatation d'expérience. En conséquence, il s'agit bien d'une proposition *a priori*, qu'on juge opportun d'adopter parce qu'on espère qu'elle permettra de mieux comprendre la réalité étudiée. Aussi, lorsqu'on déduit de cet axiome le *théorème* selon lequel les sons initiaux des mots français « courage » et « kilo », bien que phénoménalement distincts, sont structurellement identiques, on énonce une proposition qui dérive à la fois de propriétés objectives de la langue française et d'un axiome qui, lui, résulte de la seule volonté du linguiste.

On définira donc la description structurelle d'un objet comme l'ensemble des *théorèmes* qui résultent de l'application d'une axiomatique à cet objet, axiomatique et théorèmes constituant une théorie de l'objet en tant que *système*. Cette définition a l'avantage d'être générale, puisque — comme on l'a vu — elle s'applique aux cas extrêmement divers que nous avons examinés et permet d'expliquer la polysémie de la notion de structure dans ce type de contexte.

Cela dit, il faut observer que les relations entre les termes du langage que nous appelons ici « théorie des systèmes » — à savoir les termes « axiomatique », « description structurelle », « caractéristiques apparentes », etc., — varient avec les cas envisagés. Ainsi, dans un cas comme celui de l'analyse de l'accentuation de la langue anglaise proposée par Chomsky et Miller, la validité de la description structurelle est vérifiée par le fait que l'axiomatique associée à cette description structurelle permet de *déduire* correctement l'accentuation de nombreux segments de l'anglais (caractéristiques phénoménales). Dans le cas de la phonologie de Harris, la « vérification » est d'un type différent. Ici, les théorèmes structurels sont vérifiés par le fait qu'ils permettent d'expliquer un ensemble important de faits linguistiques. De façon générale, bien que la notion de structure soit toujours associée à une théorie visant à démontrer l'interdépendance des éléments d'un système, il faut reconnaître que les niveaux de vérification auxquels une théorie peut se situer sont multiples. Le niveau de vérification atteint par une théorie dépend, rappelons-le, d'un certain nombre de critères : critère de falsification de Popper, critère de vérification diffuse, critère de généralité, critère de compréhensivité.

La corrélation entre les termes « structure », « axiomatique », « vérification », « système » étant acquise et confirmée par les exemples très variés que nous avons choisis, on obtient bien une définition *syntagmatique* de la notion de structure, qui permet d'expliquer les phénomènes d'homonymie auxquels elle est associée. En effet, il n'y a aucun doute que les « structures de la parenté » de Lévi-Strauss et la « structure des systèmes sociaux » au sens de Parsons correspondent à des emplois homonymiques du mot « structure », si on s'en tient du moins à une réflexion naïve. Essayant d'analyser ce sentiment d'homonymie, nous avons pu mettre en évidence un certain nombre de types de structures — que pour la commodité nous avons ramenés à quatre — et décrire un certain nombre de critères de distinction. Mais il nous est apparu dans tous les cas que ces homonymies étaient — exactement comme dans le contexte des définitions intentionnelles — des produits de l'environnement. En d'autres termes, si l'outil scientifique appliqué ici et là nous est bien apparu comme identique à travers les différents exemples examinés, on ne peut nier qu'il soit d'efficacité variable selon les objets auxquels il est appliqué. Mais cette diversité dans les « réalisations » n'est elle-même le plus souvent qu'un produit du contexte : rien ne saurait faire que les phénomènes d'accentuation associés à un segment de l'anglais ou les règles du mariage d'une société ne puissent être aisément décrits de façon intégrale, tandis qu'un groupe, une société, un système économique sont irréductiblement des ensembles *indéfinis* de faits. Rien ne saurait faire non plus que le sociologue ne puisse généralement pas se placer dans la situation quasi expérimentale qui caractérise l'activité du linguiste. De même, rien n'aurait pu faire que l'échantillon de sociétés utilisé par Murdock pour *vérifier* sa théorie n'ait été par nécessité de dimension modeste, et que cette circonstance n'ait fixé le niveau de vérification à un point déterminé.

La définition que nous présentons a également l'intérêt d'expliquer que la notion de structure, bien qu'irréductiblement distincte de ses associations synonymiques, les évoque pourtant nécessairement dans ce type de contextes. En effet, une description structurelle s'oppose à la description phénoménale d'un objet, comme l'essence à l'*apparence*. De plus, étant une théorie explicative, elle permet de rendre compte de faits apparemment inexplicables et de démontrer leur *cohérence*. Elle permet, en outre, puisqu'elle n'est autre qu'un système hypothético-déductif vérifiable, de *déduire* l'ensemble des éléments définissant la description phénoménale d'un objet. L'ensemble de ces faits devient, à l'intérieur de la théorie structurale, un ensemble de *théorèmes*. D'où il résulte que le particulier est rendu intelligible par sa relation au *tout*. Bref, toutes les associations synonymiques de la notion de structure apparaissent comme nécessairement évoquées par la définition syntagmatique que nous proposons. Pourtant, la notion de *structure* est aussi profondément distincte de ses associations synonymiques qu'une *hypothèse* est distincte d'une *affirmation provisoire.* Cette double remarque explique encore qu'on n'ait guère pris soin de distinguer entre les définitions *intentionnelles* et les définitions *effectives* du mot structure.

Existe-t-il finalement une méthode qu'on puisse qualifier de « structurale » ou de « structuraliste »? La réponse dépend du sens qu'on désire prêter au mot méthode. Si on entend par « méthode structurale » ou « méthode structuraliste » la « perspective » très générale qui consiste à concevoir l'objet qu'on se propose d'analyser comme un tout, comme un ensemble d'éléments interdépendants dont il s'agit de démontrer la cohérence, alors il existe une méthode structuraliste. Son existence est même si évidente qu'il serait sans doute difficile de trouver un psychologue, un sociologue, un économiste, un linguiste ou un anthropologue qui ne soit pas structuraliste. Qui a jamais douté que les langues, les marchés, les sociétés, les personnalités fussent des systèmes? Personne sans doute. Si on s'en tient à cette définition, Aristote fut structuraliste, puisque, en introduisant la notion de cause finale, il montre qu'il concevait le vivant comme un système dont les éléments ne peuvent être compris que par rapport à la totalité qu'il constitue. Mais si, par « méthode structurale », on entend un ensemble de procédures qui permettraient d'obtenir, à propos d'un objet quelconque, une théorie située à un niveau de vérification aussi élevé que possible et permettant d'expliquer l'interdépendance des éléments constitutifs de cet objet, alors on peut affirmer qu'une telle méthode n'existe pas. Si elle existait, cela signifierait que l'homme aurait enfin trouvé le moyen de construire des théories efficaces en se pliant à certaines règles de méthode. Car, nous pensons l'avoir suffisamment montré, la mise en évidence de la structure d'un objet résulte d'une théorie. Or personne n'a jamais imaginé de règles de méthode permettant d'obtenir des théories vraies et efficaces. Considérons, par exemple, des théories structurales importantes — la phonologie structurale de Harris, la théorie des structures de la parenté de Lévi-Strauss ou la théorie des grammaires de Chomsky, par exemple. Dans les trois cas, il s'agit de théories qui, avant d'être conçues, ont exigé de longues périodes de gestation. Les découvertes de Chomsky n'auraient pas été possibles sans Saussure et Jakobson, et sans le développement d'un outillage mental inédit qui a permis à Chomsky de concevoir une grammaire comme une structure mathématique particulière. Les découvertes de Lévi-Strauss n'auraient pas été possibles s'il n'avait pas existé, avant lui, une longue tradition de réflexion et de recherche sur le problème de la prohibition de l'inceste. Lui-même a donné une forte impulsion aux recherches formelles sur l'analyse des structures de la parenté qui se poursuivent depuis vingt ans. Ni Lévi-Strauss ni Chomsky ne sont parvenus aux résultats qu'ils ont obtenus en utilisant on ne sait quelle « méthode structuraliste ». Plus modestement, ils ont bénéficié d'une longue tradition de recherche à laquelle ils ont appliqué une imagination scientifique féconde et ont pu disposer d'un outillage mental plus raffiné que leurs prédécesseurs.

Bref, il n'y a pas de « méthode structurale ».

Il n'y a pas de « méthode structurale » au sens où il y a une méthode « expérimentale ». Car, si aucun manuel ne peut conduire le chercheur à effectuer des expériences pertinentes, il existe, par exemple, une théorie des plans d'expérience, balbutiante chez Stuart Mill, adulte chez Fisher. Il n'y a même pas de méthode « structurale » au sens où il y a une méthode « phénoménologique ». Car, bien qu'il n'y ait sans doute guère d'illusions à se faire sur l'intérêt de cette méthode, il n'en demeure pas moins que son « inventeur », Husserl, a pu la décrire par un petit nombre de règles. Ce n'est pas le cas de la « méthode structurale ». Il n'y a donc pas de « méthode structurale ». Il y a seulement des théories structurales particulières. Les unes sont d'une importance scientifique fondamentale. Les autres sont moins réussies. D'autres enfin — sur lesquelles nous ne nous étendrons pas — ne sont guère que des hypothèses gratuites et ingénieuses qui ne laissent pas entrevoir la moindre possibilité de vérification.

La qualité de ces théories dépend, bien sûr, de l'imagination de leurs auteurs et des recherches antérieures, mais aussi des caractéristiques des objets étudiés. Malgré le structuralisme, la « macrosociologie » a sans doute fait moins de progrès de Montesquieu à Parsons que la linguistique de Troubetzkoï à Chomsky. Peut-on voir dans ce fait un simple accident historique? La raison en est plutôt que les questions que se posent les sociologues de Montesquieu à Parsons concernent généralement les sociétés globales, que les sociétés globales sont des systèmes indéfinis et qu'il est très difficile de leur appliquer des méthodes comparatives. Il en résulte que le sociologue, de par la nature même de son objet, en est réduit à des méthodes comme le « fonctionnalisme » ou la méthode « compréhensive ». Ces méthodes sont effectivement seules applicables à partir du moment où on ne dispose pas d'une base comparative permettant de recourir à des « quasi-expériences ». Mais on ne peut nier non plus qu'elles soient incapables d'atteindre à un niveau de vérification très élevé. En particulier, elles excluent la possibilité de construire de réels critères de falsification. Cette situation explique, notons-le en passant, que la querelle qui s'est instaurée autour du fonctionnalisme ou de la notion de compréhension n'ait jamais été réellement vidée. Car, si ces méthodes impliquent un niveau de vérification faible, elles sont pratiquement les seules applicables à l'analyse des sociétés globales. Aussi n'est-ce pas un hasard que le « structuralisme » n'ait pas, en sociologie, provoqué la même révolution qu'en linguistique ou en anthropologie. S'il y a eu une révolution dans la sociologie moderne, il faut sans doute la dater, non du structuro-fonctionnalisme, mais du *Suicide* de Durkheim, qui a démontré qu'en se donnant des objets circonscrits, le sociologue pouvait se placer dans une perspective quasi expérimentale et construire des théories à niveau de vérification élevé.

Nous sommes prêt à reconnaître le caractère pessimiste de ces propos. Ils signifient que la sociologie et l'économie — sans parler de disciplines comme la critique littéraire [1] — n'ont pas grand-chose à attendre du « structuralisme » en tant que tel. D'autant moins que, si le mot a un sens, la sociologie est « structuraliste » depuis Montesquieu et l'économie au moins depuis Walras. Ce corollaire décevra sans doute. Mais n'est-il pas absurde de croire — comme le font ceux que nous avons appelés les *structuralistes magiques* — qu'une attitude philosophique puisse, en elle-même, provoquer des succès scientifiques? Il ne suffit pas de déclarer qu'on considère son objet comme un tout, comme une structure, pour le rendre *ipso facto* plus intelligible. Rappelons les vingt-cinq siècles qui, en biologie, séparent ce qu'on peut appeler le structuralisme philosophique d'Aristote du structuralisme scientifique de Sherrington et de la cybernétique. Ce n'est pas une prétendue attitude ou méthode structuraliste qui a été à l'origine des progrès rapides de la biologie au vingtième siècle. De même, ce n'est pas le structuralisme en tant que tel qui a provoqué le développement considérable de la science économique depuis Walras, mais la création patiente et cumulative d'instruments de recherche plus efficaces et le perfectionnement progressif des méthodes d'observation

NOTES

AVANT-PROPOS

1. *Essais critiques*, p. 15.

CHAPITRE PREMIER

1. Voir références (2), (7), (33), (56).

2. On connaît la thèse de Popper (50) — qui ne lui appartient pas en propre mais dont il a seul examiné toutes les conséquences — selon laquelle une hypothèse scientifique est une proposition qui peut être démontrée *fausse*. L'avantage de substituer la notion de « falsification » à celle de « vérification » réside dans le fait que, si on peut démontrer sans ambiguïté qu'une théorie est fausse, il n'y a pas de critères qui permettent aussi aisément de démontrer sa vérité, car, comment distinguer entre une théorie vraie et une théorie qu'on n'a pas réussi à démontrer fausse? Nous avons hésité sur la manière de rendre en français le concept popperien de « falsification ». « Infirmer » eût été plus français que « falsifier », qui s'emploie dans l'expression « falsifier un document » par exemple, mais n'est jamais le contraire de « vérifier ». On aurait donc pu traduire le mot anglais « falsification » par le mot français « infirmation ». Cependant, « falsification » n'est pas, en anglais non plus, le contraire de « vérification ». « Falsification », employé dans le sens de « démonstration de fausseté », est un néologisme en anglais. Cette remarque montre que l'épistémologie spontanée forme naturellement le concept de « vérification », mais non le concept contraire. Cela provient de ce que le travail scientifique est sommairement conçu

comme recherche de la vérité, alors que dans la pratique, il n'existe pas de moyen de démontrer qu'une théorie est vraie, mais seulement de démontrer qu'elle est fausse (ou provisoirement non fausse). Rien n'est plus éloigné de l'épistémologie spontanée que la thèse popperienne — pourtant irréfutable — selon laquelle le travail scientifique consiste essentiellement à essayer de démontrer la fausseté d'une théorie. Pour ces raisons, nous avons choisi d'utiliser la traduction « falsification », en détournant délibérément le mot de son sens usuel.

3. Une théorie *scientifique*, selon Popper, est une théorie qui possède la propriété de pouvoir être démontrée fausse. En d'autres termes, c'est une théorie dont certaines conséquences au moins doivent pouvoir être déclarées sans ambiguïté ou en accord avec certains faits bien déterminés ou en contradiction avec eux. Ainsi, la mécanique newtonienne est une théorie scientifique dans la mesure où on en tire des conséquences qui peuvent être confrontées à certains faits. En revanche, la théorie de la connaissance de Kant est non scientifique ou, comme dit encore Popper, *métaphysique*, car on ne peut imaginer d'épreuve définie sans ambiguïté qui permette de la rejeter. De même, la théorie bergsonienne de l'élan vital est une théorie *métaphysique*, tandis que la théorie sherringtonienne de l'homéostasie est une théorie scientifique. Répétons que l'intérêt de définir une théorie scientifique comme une théorie qui *peut* être démontrée *fausse* plutôt que comme une théorie qui peut être démontrée *vraie* provient de ce que la démonstration de fausseté peut être effectuée par un critère simple et bien défini, qui n'est autre que le *modus tollens* de la logique scholastique. Il s'énonce : « Si la proposition *p* implique la proposition *q* et si la proposition *q* est fausse, alors la proposition *p* est fausse. » Par application de ce critère, on peut donc rejeter une théorie en montrant qu'une seule de ses conséquences est en contradiction avec la réalité. En revanche, il est impossible de définir un critère fini qui permette d'affirmer la *vérité* d'une théorie, car pour démontrer qu'une théorie est vraie, il faudrait démontrer qu'aucune de ses conséquences n'est en contradiction avec aucun fait. Il en résulte qu'une telle démonstration repose sur un critère à la fois

indéfini et infini. Naturellement, ces considérations ne s'appliquent qu'aux sciences empiriques et non aux sciences formelles (logique ou mathématique). Dans ces dernières, il est possible de construire des critères de vérité finis et définis. Notons encore dès maintenant que, comme nous le verrons au chapitre IV, la dichotomie établie par Popper (50) entre « théories scientifiques » et « théories non scientifiques » à partir du critère de falsification — les premières étant des théories falsifiables, les secondes des théories non falsifiables — doit être nuancée. Elle décrit correctement les procédures de vérification des sciences expérimentales, mais devient insuffisante dans le cas des sciences pseudo-expérimentales, comme l'économie ou la sociologie.

4. « Elles (les lois) doivent être relatives au *physique* du pays; au climat glacé, brûlant, tempéré; [...] à la religion des habitants, à leurs inclinations, à leurs richesses, à leur nombre, à leur commerce, à leurs mœurs, à leurs manières. Enfin, elles ont des rapports entre elles [...]. J'examinerai tous ces rapports : ils forment tous ensemble ce qu'on appelle l'*esprit des lois.* » (De *l'Esprit des Lois*, éd. de la Pléiade, t. II, p. 238.) Si on compare cette citation au livre de Murdock, *Social structure*, on constate qu'elle en décrit très exactement le programme. En effet, toutes les démonstrations de Murdock consistent dans la mise en évidence de corrélations entre des institutions et d'autres institutions, entre des institutions et des éléments morphologiques. Bref, Murdock montre que « les lois ont des rapports entre elles », qu'elles ont des rapports aux mœurs, au « commerce » (c'est-à-dire au système économique), etc. De plus, ces corrélations étant déduites chez Murdock d'une théorie, il en résulte qu'elles sont conçues, non comme des vérités d'expérience, mais comme des relations nécessaires. Comme Montesquieu, Murdock pense donc que « les lois sont des rapports nécessaires qui dérivent de la nature des choses ». Bien que les techniques de démonstration employées par Montesquieu soient différentes de celles de Murdock, il n'en demeure pas moins que la logique de la démarche est la même. Ce que Murdock appelle *structure sociale*, c'est donc exactement ce que Montesquieu appelle *esprit des lois.* Il est inutile de souligner que l'expres-

sion *esprit des lois* qu'emploie Montesquieu, bien qu'inspirée par le langage juridique, est prise dans un sens néologique : les lois sont des rapports nécessaires qui dérivent de la nature des choses; l'esprit des lois est, comme nous dirions, la logique de ces rapports, que non seulement Murdock, mais, comme nous le verrons au chapitre IV, tous les sociologues, désignent par le terme de « structure ».

CHAPITRE II

1. Sur l'analyse factorielle, voir références (20), (54), (55).

2. Le lecteur pressé peut, sans inconvénient, passer à la page 51 et se contenter d'admettre que l'hypothèse fondamentale de la page 47, exprimée par l'équation $z_{ij} = a_j F_i + e_{ij}$ conduit à la conséquence $r_{jk} = a_j a_k$, où r_{jk} désigne le coefficient de corrélation entre l'épreuve j et l'épreuve k (p. 51).

3. Nous empruntons cette typologie à Davis (11), (12).

4. Remarquons, pour appuyer l'interprétation que nous donnons ici, que les propositions contextuelles (Lazarsfeld) ou — dans le langage de Blau — structurelles traduisent un progrès considérable dans les techniques de sondage utilisées en sociologie. Jusqu'à une époque récente, les sondages demeuraient *atomiques* ou individuels : on se contentait, en d'autres termes, de recueillir des informations sur des individus sans pouvoir mesurer l'influence de la situation sociale de ces individus sur leurs attitudes et leurs comportements. Cet état de choses permettait à Blumer (5) de déclarer que les sondages étaient un instrument inapproprié pour la sociologie, dans la mesure où ils étaient incapables de saisir les situations « dans leur totalité », ou de tenir compte des « structures sociales ». S'il est vrai que ce reproche pouvait être justifié d'un certain type de sondages, il cesse de l'être lorsqu'il s'agit des sondages contextuels. Ici, les propositions concernent, non l'individu, mais le système formé par l'individu et la situation sociale dans laquelle il est inséré : il ne s'agit plus par exemple de montrer la dépendance des attitudes ou opinions individuelles par rapport à des données biographiques ou à d'autres

opinions et attitudes, mais de montrer l'interdépendance entre les états individuels et la situation sociale. Ainsi, lorsque Lipset et ses collaborateurs (34) montrent que la dimension des ateliers typographiques a un « effet » sur le degré d'information politique et syndicale des ouvriers (les ouvriers sont mieux informés dans les grands ateliers), sur la différence d'information entre les responsables syndicaux et la base, c'est d'une certaine manière la situation globale dans laquelle se trouve l'ouvrier qui est analysée par le sondage. En d'autres termes encore, le sondage saisit la *structure* de la situation dans laquelle se trouve impliqué l'individu observé. On comprend par là même que la notion de proposition contextuelle (Lazarsfeld) ou de proposition structurelle (Blau) puisse être considérée comme la traduction sur le plan opérationnel de ce qu'on a dans l'esprit lorsqu'on parle, en termes vagues, de « structure sociale », de « structure des situations », etc.

5. Voir sur l'analyse matricielle des « structures de groupe » les références (3), (14) et (16).

6. Voir (27), (29). Dans un sondage atomique, on interroge un ensemble d'individus : dans un sondage contextuel, on choisit un ensemble de « milieux » (institutions, groupes, etc.), dans lesquels on observe soit un échantillon, soit la totalité des individus. On peut alors déterminer dans quelle mesure les variations dans le comportement individuel sont dues à des variations dans les caractéristiques du milieu.

7. « On sait que toute unité distinctive peut être définie de deux façons différentes. D'une part, en référence aux contextes où elle apparaît : */s/* du grec ancien, par exemple, peut se définir comme le phonème non syllabique qui apparaît à l'initiale devant un autre phonème non syllabique et à la finale; il s'agit alors d'une définition syntagmatique. D'autre part, en notant les traits de substance phonique ou sémantique qui distinguent cette unité des autres unités du même plan : */b/* français est sonore par rapport à */p/*, oral par rapport à */m/*, bilabial par rapport à */v/*, et ainsi de suite; il s'agit ici d'une définition paradigmatique qui met en valeur ce qui oppose les unités qui peuvent figurer dans les mêmes contextes ». [Martinet (37), p. 124]. Retenons de ce

texte qu'une définition paradigmatique est une définition à partir de la substance ou du « contenu » et une définition syntagmatique, une définition à partir des relations avec le contexte.

8. Voir note (5).

9. Il est clair qu'une notion comme celle d' « élan vital » n'est qu'un terme nouveau pour la vieille notion de cause finale.

CHAPITRE III

1. Comme le lecteur l'a compris, il n'est pas contradictoire que les définitions « intentionnelles » de la notion de structure aient toujours la forme de définitions « par distinction » et que la notion de structure ne puisse faire l'objet d'une définition par induction dans le contexte des définitions intentionnelles. Il faut en effet soigneusement distinguer deux points de vue : celui du spécialiste — sociologue, psychologue ou économiste — qui cherche à définir la notion de structure dans un contexte particulier, d'une part; celui du méthodologue, qui analyse la *signification* de ces définitions, d'autre part. Il est inévitable que les premiers utilisent une définition inductive; mais si le second recherche une définition de ce type, en procédant par « la comparaison et l'abstraction des éléments communs » aux définitions proposées par le sociologue, le psychologue et l'économiste, il ne peut qu'établir un constat de *polysémie.*

2. Voir les références (21), (22), (37).

3. Nous introduisons quelques remarques indicatives sur le problème de la « vérification » au chapitre IV.

4. Les guillemets indiquent l'impropriété relative du mot « choix ». En effet, on ne sélectionne pas des épreuves comme on sélectionne un échantillon d'individus dans une population. C'est par une fiction qu'on assimile la sélection d'un ensemble d'épreuves à un choix dans une population d'épreuves. Cette population n'est évidemment pas définie.

5. Dans tout ce texte, nous donnons une présentation *simplifiée* et dans cette mesure délibérément inexacte du concept de « description structurelle » et des axiomes dont l'énoncé suit.

6. Entendons par *calcul* une suite d'opérations qui puisse être effectuée mécaniquement, c'est-à-dire telle que la séquence et la nature des opérations soient définies à l'avance de manière absolument dépourvue d'équivoque. Pour une définition rigoureuse de cette notion, voir Martin (36), p. 16.

7. Notons que l'usage identifie quelquefois « structure » à ce que nous désignons ici par *Str* (*S*) et quelquefois à la « théorie » *A* + *Str* (*S*). Dans l'expression « les structures de la parenté », le mot « structure » est identifié à *A* + *Str* (*S*)*;* en revanche, la notion de « description structurelle » employée par Chomsky-Miller identifie la notion de « structure » à *Str* (*S*). En économétrie, une « structure » est l'ensemble *A* + *Str* (*S*)*;* mais on parle aussi des paramètres « structurels » d'un modèle. Dans ce dernier cas, on a les définitions : « modèle » = *A*, « paramètres structurels » = *Str* (*S*), « structure » = *A* + *Str* (*S*).

8. Nous réservons pour une publication ultérieure l'examen de l'analyse structurale des mythes telle qu'on la trouve mise en œuvre, par exemple, dans *Le Cru et le cuit.* On peut montrer que la notion de structure a dans ce contexte la même signification qu'ailleurs. Si nous avons exclu cette démonstration du présent opuscule, c'est qu'elle aurait dû y tenir trop de place. Les schémas logiques utilisés par Lévi-Strauss dans *Le Cru et le cuit* sont beaucoup plus complexes que ceux des exemples que nous avons choisi d'exposer ici. Ils exigent même une laborieuse exégèse qui, si elle avait été tentée ici, aurait sans doute détourné l'attention du lecteur du thème principal — la notion de structure dans les sciences humaines — pour la reporter sur le thème très différent de l'analyse structurale des mythes.

9. Naturellement, ce sentiment d'arbitraire n'est que l'envers de l'incapacité des théories classiques à expliquer ces règles.

10. Tous les problèmes philosophiques qui se posent à propos de la notion de « théorie » se posent donc à propos de la notion de « structure ». Nous ne croyons pas que les théories scientifiques de la physique impliquent une théorie de la connaissance particulière. Il en va de même dans le cas des théories *structuralistes* que proposent les sciences humaines. On peut — au choix — déclarer ou que l'analyse structurale conduit

à l'essence des choses ou qu'elle rate l'essentiel. Rien, ni dans la physique ni dans la poésie, ne permet de démontrer ni que le physicien comprenne mieux la *physis* que le poète, ni que le poète la comprenne mieux que le physicien.

11. Le modèle que nous présentons ici ne diffère guère, dans sa nature, des modèles utilisés par l'économétrie. Pour le voir, le lecteur se reportera, par exemple, à Tinbergen (56).

12. Nous voulons dire par là qu'aucun de ces tableaux ne peut être interprété sans référence aux autres. Voir sur ces questions la référence (6).

13. Le langage causal que nous employons ici est simplement un langage commode : il permet d'énoncer aisément les hypothèses dont la formalisation conduit à déterminer la « structure » du processus. Voir la référence (6).

14. Sur le détail de cette procédure, voir (6), chap. VII.

15. Remarquons au passage que le français a introduit une distinction, que l'anglais ignore, entre « structural » et « structurel ». Bien que ces deux adjectifs soient souvent interchangeables, ils indiquent une distinction : « structurel » est généralement l'adjectif correspondant au substantif « structure » et « structural », l'adjectif correspondant au substantif « structuralisme ». « Structural » est donc souvent un doublet atténué de « structuraliste ». Lorsque Barthes dit qu'il est « homme structural », il veut dire qu'il adhère à la *Weltanschauung* qu'il prétend découvrir dans le structuralisme. La linguistique est « structurale », car elle utilise une perspective généralement appelée « structuralisme ». En revanche, les paramètres d'un modèle économétrique sont « structurels », dans la mesure où ils décrivent la structure d'un ensemble de données. De même, on parlera de la description « structurelle » d'un segment parlé. Notons toutefois qu'on pourrait aussi bien parler de l' « analyse structurelle des groupes » ou de l' « analyse structurale des groupes ». Si on dit plutôt « analyse structurelle » dans ce cas, c'est qu'on insiste moins sur le fait qu'on désire appliquer une perspective « structuraliste » que sur l'objet de l'analyse : déterminer les propriétés « structurelles » des groupes. En revanche, on parlera plutôt de l'analyse « structurale » d'un texte littéraire, pour

affirmer qu'on se rattache à la perspective « structuraliste ».

CHAPITRE IV

1. Harris (21), p. 3.
2. Voir aussi sur la notion de structure chez Parsons, Parsons (47) et notamment l'introduction très utile de F. Bourricaud.

CONCLUSION

1. Le structuralisme « appliqué » à la critique littéraire par des auteurs comme Barthes ou Goldmann mériterait, à lui seul, un développement que nous ne pouvons entreprendre ici. Un examen attentif de cette production montrerait sans doute que le structuralisme est associé dans le cas de la critique littéraire aux mêmes *intentions* scientifiques qu'ailleurs. On y verrait en d'autres termes que le *désir* du critique structuraliste est de construire une théorie de son objet, d'où il puisse déduire les caractères fondamentaux de cet objet. On trouverait même sans difficulté des témoignages directs de cette intention. Dans un texte récent (« Introduction à l'analyse structurale des récits », *Communications*, 1966, 8, 1-27, p. 2), Barthes écrit de l'analyse structurale des récits : « Elle est par force condamnée à une procédure déductive; elle est obligée de concevoir d'abord un modèle hypothétique de description (que les linguistes américains appellent une «théorie») et de descendre ensuite peu à peu, à partir de ce modèle, vers les espèces qui, à la fois, y participent et s'en écartent [...] » Un texte comme celui-là montre indiscutablement que Barthes comprend la notion d' « analyse structurale » dans un sens analogue à celui où la comprennent par exemple Murdock ou Chomsky. Mais personne ne doutera que dans l'application, ces « modèles hypothétiques » dont parle Barthes sont souvent à ce point hypothétiques qu'ils défient toute tentative de vérification ou de falsification. Bref, ils ne sont pas réellement des hypothèses, si on admet que la notion d'hypothèse implique celles de vérification ou de

falsification. Raymond Picard (50) l'a fort bien montré à propos des « modèles hypothétiques » par lesquels Barthes prétend expliquer les tragédies de Racine : ces modèles sont des propositions parfois ingénieuses, mais qu'il est impossible ni d'infirmer ni de confirmer. Le résultat, c'est que le structuralisme se trouve, dans des exemples comme ceux-là, complètement détourné de sa signification. Il assume une *fonction latente*, qui est de reporter le crédit des « méthodes structurales » — dont le succès en linguistique ou en anthropologie est incontestable — sur des énoncés arbitraires. Cette double nature de l'analyse structurale appliquée à la littérature (dans l'état actuel de nos connaissances) est d'ailleurs enregistrée par Barthes lui-même, car, si, dans le texte précédemment cité, il reconnaît que l'analyse structurale coïncide avec la création de théories déductives, il admet en même temps qu'il n'est guère possible de construire des théories déductives à propos des objets qu'il considère. D'où ces textes étranges, comme celui que nous citions dans l'avant-propos de ce livre, où Barthes fait du structuralisme une sorte d'*habitus* de l' « homme structural », *habitus* par lequel l' « homme structural » aurait « accès à [...] quelque chose qui resterait invisible, ou si l'on préfère inintelligible dans l'objet naturel ». Plus question ici de déduction, mais plutôt affirmation d'une mystérieuse autorité de l' « homme structural ».

L'histoire — brève encore — du mariage de la critique littéraire et du structuralisme n'est donc pas sans rapport avec celui de la sociologie et du structuralisme. Dans toutes les disciplines, on assiste à un effort pour substituer à ce que les sociologues appellent la « compréhension » *(Verstehen)* et les critiques littéraires l' « intelligence » des textes, des méthodes déductives. A l'heure actuelle, ce progrès a été effectivement accompli dans certains domaines. Le passage du fonctionnalisme absolu de Malinowski au fonctionnalisme relatif de Merton, aussi bien que des travaux comme ceux de Lévi-Strauss ou de Murdock, en témoignent.Mais ce qui est frappant, c'est que ce progrès n'a bouleversé qu'un petit nombre de disciplines; dans les autres — comme la macrosociologie — les effets et les réussites du structuralisme sont encore très limités et localisés. Cela tient, on l'a vu, à ce que ces disciplines manipulent des objets dont les propriétés logiques sont très variables. Rien ne dit naturellement que dans un demi-siècle, il n'existera pas une authentique sociologie structurale ou une critique littéraire structurale. Il est possible que des innovations méthodologiques permettent d'analyser les sociétés globales et les discours complexes par une voie déductive. Possible et même probable. Mais ce qu'il est déraisonnable de croire, c'est qu'il existe dès à présent on ne sait quelles *méthodes structurales* qui permettraient, par application instantanée, de provoquer un bond en avant de disciplines comme la macrosociologie ou la critique littéraire et d'atteindre, comme dit Barthes, l'intelligible.

RÉFÉRENCES CITÉES

(1) Aron (Raymond), « Note sur la structure en science politique », in *Sens et usages du terme structure*, publié sous la direction de R. Bastide, La Haye, Mouton, 1962, p. 108-113.

(2) Bastide (Roger) [publ. sous la direction de], *Sens et usages du terme structure*, La Haye, Mouton, 1962.

(3) Berge (Claude), *La Théorie des graphes et ses applications*, Paris, Dunod, 1958.

(4) Blau (Peter M.), « Formal organizations: dimensions of analysis », *The american journal of sociology*, 63, 1957, p. 58-69.

(5) Blumer (Herbert), « Public opinion and public opinion polling », *American sociological review*, 13, 1948, p. 542-554.

(6) Boudon (Raymond), *L'analyse mathématique des faits sociaux*, Paris, Plon, 1967.

(7) Centre international de synthèse, *Notion de structure et structure de la connaissance*, Paris, Albin Michel, 1957.

(8) Chomsky (Noam), « Explanatory models in linguistics », in *Logic, Methodology and philosophy of science*, publ. sous la direction de E. Nagel, P. Suppes et A. Tarski, Stanford, Cal., Stanford University Press, 1962, p. 528-550.

(9) Chomsky (Noam) et Miller (George A.), « Introduction to the formal analysis of natural languages », in *Handbook of mathematical psychology*, pub. sous la dir. de R. Duncan Luce, Robert R. Bush et E. Galanter, New York, Wiley, 1963, vol. 2, p. 269-321.

(10) Colin (Cherry), *On human communication*, New York, Wiley, 1957.

(11) DAVIS (James A.), *Great brooks and small groups*, Glencoe, Ill., The Free Press, 1961.

(12) DAVIS (James A.), SPAETH (Joe L.) et HUSON (Carolyn), « A technique for analyzing the effects of group composition », *American sociological review*, 26, 1961, p. 215-225.

(13) EVANS-PRITCHARD, *The Nuer*, 1940. Cité par NADEL (S. F.), *op. cit.*

(14) FESTINGER (Leon), SCHACHTER (Stanley) et BACK (Kurt), « Matrix analysis of group structures », in *The language of social research.*, publ. sous la dir. de P. Lazarsfeld et M. Rosenberg, Glencoe, Ill., The Free Press, 1955, p. 358-367. Traduction française in *Le Vocabulaire des sciences sociales*, publ. sous la dir. de R. Boudon et P. Lazarsfeld, Paris, Mouton, 1965, p. 240-246.

(15) FLAMENT (Claude), « L'étude mathématique des structures psycho-sociales », *Année psychologique*, 58, 1958, p. 119-131.

(16) FLAMENT (Claude), *Théorie des graphes et structure sociale*, Paris, Mouton et Gauthier-Villars, 1965.

(17) GOLDSTEIN (Kurt), *La Structure de l'organisme*, Paris, Gallimard, 1951.

(18) GRANGER (Gilles-Gaston), *Pensée formelle et sciences de l'homme*, Paris, Aubier, 1960.

(19) GURVITCH (Georges), « Le concept de structure sociale », *Cahiers internationaux de sociologie*, 19, 1955, p. 3-44.

(20) HARMAN (Harry H.), *Modern factor analysis*, Chicago, Chicago University Press, 1960.

(21) HARRIS (Zellig S.), *Methods in structural linguistics*, Chicago, University of Chicago Press, 1951.

(22) JAKOBSON (Roman), *Essais de linguistique générale*, Paris, Les Éditions de Minuit, 1963.

(23) KATONA (George), *Psychological analysis of economic behavior*, New York-Londres, MacGraw Hill, 1951.

(24) KEMENY (John G.), SNELL (J. Laurie) et THOMPSON (Gerald L.), *Introduction to finite mathematics*, Englewood-Cliffs, N. J., Prentice-Hall, 1956.

(25) KROEBER (A. L.), *Anthropology*, nouvelle édition, New York. Cité par LÉVI-STRAUSS, *Anthropologie structurale*, *op. cit.*

(26) Lazarsfeld (Paul F.), Intervention in *Sens et usages du terme structure,* publ. sous la dir. de R. Bastide, La Haye, Mouton, 1962, p. 160.

(27) Lazarsfeld (Paul), « Problems in methodology », in *Sociology today,* publ. sous la dir. de R. Merton, L. Broom et L. S. Cottrell, New York, Basic Books, 1959. Éd. utilisée : New York, Harper, 1965, p. 39-80.

(28) Lazarsfeld (Paul), Berelson (Bernard) et Gaudet (Hazel), *The People's choice,* New York, Columbia University Press, 1948.

(29) Lazarsfeld (Paul), et Menzel (Herbert), « On the relation between individual and collective properties », in *Complex organizations,* publ. sous la dir. de A. Etzioni, New York, Holt, Rinehart and Winston, 1961, p. 422-440.

(30) Lévi-Strauss (Claude), « La notion de structure en sociologie », in *Anthropologie structurale,* Paris, Plon, 1958, p. 303-351.

(31) Lévi-Strauss (Claude), *Les Structures élémentaires de la parenté,* Paris, Presses Universitaires de France, 1949.

(32) Lévi-Strauss (Claude), *Le Cru et le Cuit,* Paris, Plon, 1964.

(33) Lévy (Émile), *Analyse structurale et méthodologie économique,* Paris, Génin, 1960.

(34) Lipset (S. M.) et coll., « The psychology of voting », in *Handbook of social psychology,* publ. sous la dir. de G. Lindzey, Reading, Mass., 1954, p. 1124-1176.

(35) Mannheim (Karl), *Ideology and utopia,* Routledge and Kegan Paul, 1954. (Première édition allemande, 1929.)

(36) Martin (Roger), *Logique contemporaine et formalisation,* Paris, Presses Universitaires de France, 1964.

(37) Martinet (André), « Structural linguistics », in *Anthropology today,* publ. sous la dir. de A. L. Kroeber, Chicago. The University of Chicago Press, 1953, p. 574-586.

(38) Martinet (André), *La Linguistique synchronique,* Paris, Presses Universitaires de France, 1953 (3e éd.).

(39) MERLEAU-PONTY (Maurice), *La Structure du comportement*, Paris, Presses Universitaires de France, 1953 (3e éd.).
(40) MERTON (Robert), *Social theory and social structure*, Glencoe, Ill., The Free Press, 1957 (éd. rev.). Trad. fr. : *Éléments de théorie et de méthode sociologique*, Paris, Plon, 1965.
(41) MILLER (George A.), « Models for language », in *Mathématiques et sciences sociales*, Compte rendu des travaux des stages de Menthon-Saint-Bernard (1-27 juillet 1960) et de Gösing (3-27 juillet 1961). Paris et La Haye, Mouton, 1965, p. 283-340.
(42) MOULOUD (Noël), « Réflexions sur le problème des structures », *Revue philosophique*, 55, 1965, p. 55-70.
(43) MURDOCK (George P.), *Social structure*, Glencoe, Ill., The Free Press, 1965 (1re éd., 1949).
(44) NADEL (S. F.), *The theory of social structure*, Londres, Cohen and West, 1957.
(45) PAGES (Robert) « Le vocable « structure » et la psychologie sociale », in *Sens et usages du terme structure*, publ. sous la dir. de R. Bastide, La Haye, Mouton, 1962, p. 89-99.
(46) PARSONS (Talcott), *The social system*, Glencoe, Ill., The Free Press, 1951.
(47) PARSONS (Talcott), *Éléments pour une sociologie de l'action*, introduction et traduction de F. Bourricaud, Paris, Plon, 1955.
(48) PIAGET (Jean), *Éléments d'épistémologie génétique*, Paris, Presses Universitaires de France, t. II, *Logique et équilibre*.
(49) PIAGET (Jean) « Problèmes généraux de la recherche interdisciplinaire et mécanismes communs », Paris, UNESCO, ronéogr.
(50) PICARD (Raymond), *Nouvelle Critique ou nouvelle imposture*, Paris, Pauvert, 1966.
(51) POPPER (Karl), *Logik der Forschung*, Vienne, Springer, 1935. Version anglaise augmentée : *The logic of scientific discovery*, New York, Hutchinson, 1959.
(52) RADCLIFFE-BROWN (A. R.), *Structure and function in primitive societies*, Glencoe, Ill., The Free Press, 1952.
(53) RICŒUR (Paul), « Structure et herméneutique », *Esprit*, novembre 1963, p. 596-627.

(54) SPEARMAN (Charles), « General intelligence, objectively determined and measured », *American journal of psychology*, 15, 1904, p. 201-293.

(55) THURSTONE (Louis), *Multiple factor analysis*, Chicago, The University of Chicago Press, 1947.

(56) TINBERGEN (Jan), *Econometrics*, Londres, Allen and Unwin, 1950. Trad. franç. : *L'Économétrie*, Paris, Colin, 1954.

(57) VIET (Jean), *Les Méthodes structuralistes dans les sciences sociales*, Paris et La Haye, Mouton, 1965.

INDEX DES AUTEURS

INDEX DES MATIÈRES

TABLE

DU MÊME AUTEUR

L'ANALYSE MATHÉMATIQUE DES FAITS SOCIAUX (Plon).

LE VOCABULAIRE DES SCIENCES SOCIALES (Mouton, *ouvrage collectif*).

L'ANALYSE EMPIRIQUE DE LA CAUSALITÉ (Mouton, *ouvrage collectif*).

MÉTHODES DE L'ENQUÊTE SOCIOLOGIQUE (P. U. F., *en préparation*).

OUVRAGES PARUS DANS LA COLLECTION
« LES ESSAIS »

Abellio Raymond : *La Bible*, I.
Abellio Raymond : *La Bible*, II.
Adorno Theodor W. : *Essai sur Wagner.*
Alain-Peyrefitte R. et M. : *Le Mythe de Pénélope.*
Arendt Hannah : *Sur la Révolution.*
Arland Marcel : *Marivaux.*
Aron Raymond : *Polémiques.*
Audisio Gabriel : *Ulysse.*
Bataille Georges : *L'Expérience intérieure.*
Bataille Georges : *Le Coupable.*
Battistini Yves (traduct. de) : *Trois Contemporains, Héraclite, Parménide, Empédocle.*
Beaujon Edmond : *Némésis ou la limite.*
Beauvoir Simone de : *Pyrrhus et Cinéas.*
Beauvoir Simone de : *Pour une morale de l'ambiguïté.*
Beauvoir Simone de : *Privilèges.*
Béhar Henri : *Étude sur le théâtre dada et surréaliste.*
Belaval Yvon : *La Recherche de la poésie.*
Belaval Yvon : *Les Philosophes et leur langage.*
Belaval Yvon : *Les Conduites d'échec.*
Belaval Yvon : *Le Souci de sincérité.*
Bellour Raymond : *Henri Michaux ou une mesure de l'être.*

Benda Julien : *Essai d'un discours cohérent sur les rapports de Dieu et du monde.*
Benedict Ruth : *Échantillons de civilisations.*
Berdiaev Nicolas : *Les Sources et le Sens du communisme russe.*
Berl Emmanuel : *Le Bourgeois et l'Amour.*
Bickel Lothar : *Le Dehors et le Dedans.*
Bost Pierre : *Un an dans un tiroir.*
Boudon Raymond : *A quoi sert la notion de « structure »?*
Brunner Constantin : *L'Amour.*
Butor Michel : *Essai sur les Essais.*
Caillois Roger : *Le Mythe et l'Homme.*
Caillois Roger : *L'Homme et le Sacré.*
Camus Albert : *Le Mythe de Sisyphe.*
Camus Albert : *Noces.*
Camus Albert : *L'Été.*
Camus Albert : *L'Envers et l'Endroit.*
Carmichael Joel : *La Mort de Jésus.*
Carrouges Michel : *André Breton...*
Cecchi Emilio : *Poissons rouges.*
Champigny Robert : *Sur un héros païen.*
Chamson André : *Fragments d'un* Liber veritatis.
Cioran E. M. : *Précis de décomposition.*
Cioran E. M. : *La Tentation d'exister.*
Cioran E. M. : *Histoire et Utopie.*
Cioran E. M. : *Syllogismes de l'amertume.*
Cioran E. M. : *La Chute dans le temps.*
Delhomme Jeanne : *Temps et Destin.*
Dhôtel André : *Rimbaud et la Révolte moderne.*
Dieguez Manuel de : *L'Écrivain et son langage.*
Drieu La Rochelle Pierre : *L'Europe contre les patries.*
Eliade Mircea : *Le Mythe de l'éternel retour.*
Eliade Mircea : *Mythes, Rêves et Mystères.*
Eliade Mircea : *Images et Symboles.*
Eliade Mircea : *Naissances mystiques.*

Eliade Mircea : *Techniques du Yoga.*
Eliade Mircea : *Méphistophélès et l'Androgyne.*
Elsen Claude : *Homo eroticus.*
Enzensberger Hans Magnus : *Politique et crime.*
Etiemble et Gauclère Yassu : *Rimbaud.*
Etiemble : *Le Péché vraiment capital.*
Etiemble : *Comparaison n'est pas raison.*
Freud Sigmund : *Moïse et le Monothéisme.*
Freud Sigmund : *Délire et Rêves dans la* Gradiva de Jensen.
Freud Sigmund : *Trois Essais sur la théorie de la sexualité.*
Freud Sigmund : *Ma vie et la psychanalyse.*
Freud Sigmund : *Le Rêve et son interprétation.*
Freud Sigmund : *Métapsychologie.*
Freud Sigmund : *Nouvelles Conférences sur la psychanalyse.*
Freud Sigmund : *Un souvenir d'enfance de Léonard de Vinci.*
Freud Sigmund : *Essais de psychanalyse appliquée.*
Freud Sigmund : *Le Mot d'esprit et ses rapports avec l'inconscient.*
Germain Charles : *Court Traité sur la noblesse.*
Godel Roger : *Essais sur l'expérience libératrice.*
Grenier Jean : *Essai sur l'esprit d'orthodoxie.*
Grenier Jean : *A propos de l'humain.*
Grenier Jean : *L'Existence malheureuse.*
Groethuysen Bernard : *Mythes et Portraits.*
Groethuysen Bernard : *J.-J. Rousseau.*
Guterman N. et Lefebvre H. : *La Conscience mystifiée.*
Heidegger Martin : *Qu'est-ce que la métaphysique?*
Heidegger Martin : *Essais et Conférences.*
Huizinga J. : *Homo ludens.*
Huizinga J. : *Érasme.*
Jung C. G. : *Un mythe moderne.*

Jung C. G. : *Dialectique du moi et de l'inconscient.*
Jünger Ernst : *L'État universel.*
Jünger Ernst : *Le Mur du temps.*
Kahnweiler Daniel-Henry : *Confessions esthétiques.*
Kierkegaard Soeren : *Traité du désespoir.*
Kierkegaard Soeren : *Le Concept de l'angoisse.*
Kierkegaard Soeren : *Riens philosophiques.*
Kierkegaard Soeren : *Journal*, I.
Kierkegaard Soeren : *Journal*, II.
Kierkegaard Soeren : *Journal*, III.
Kierkegaard Soeren : *Journal*, IV.
Kierkegaard Soeren : *Journal*, V.
Koyré Alexandre : *Introduction à la lecture de Platon* suivie de *Entretiens sur Descartes.*
Lafont Robert : *Sur la France.*
Lambert Jean : *Un voyageur des deux mondes.*
Larbaud Valery : *Techniques.*
Lefebve M.-J. : *Jean Paulhan.*
Levi Carlo : *La Peur de la liberté.*
Lewis C. S. : *Expérience de critique littéraire.*
Lukacs Georges : *La Signification présente du réalisme critique.*
Machado Antonio : *Juan de Mairena.*
Marek Kurt W. : *Notes provocatrices.*
Maury René : *L'Homme mystifié.*
Merleau-Ponty Maurice : *Phénoménologie de la perception.*
Merleau-Ponty Maurice : *Humanisme et Terreur.*
Millepierres François : *Pythagore.*
Milosz Czeslaw : *La Pensée captive.*
Monnerot Jules : *La Poésie moderne et le Sacré.*
Monnerot Jules : *Les faits sociaux ne sont pas des choses.*
Morazé Charles : *La Logique de l'Histoire.*
Mounin Georges : *Avez-vous lu Char?*
Nantet Jacques : *Bataille pour la faiblesse.*

Nimier Roger : *Amour et Néant.*
Olson Charles : *Appelez-moi Ismaël.*
Paz Octavio : *L'Arc et la Lyre.*
Petitjean A.-M. : *Le Moderne et son prochain.*
Préposiet Jean : *Spinoza et la liberté des hommes.*
Quilliot Roger : *La Liberté aux dimensions humaines.*
Robinson Joan : *Philosophie économique.*
Rohmer Charles : *Le Personnage et son ombre.*
Rostand Jean : *Peut-on modifier l'homme?*
Rostand Jean : *Science fausse et fausses sciences.*
Rostand Jean : *Biologie et Humanisme.*
Russell Bertrand : *Science et Religion.*
Russell Bertrand : *Histoire de mes idées philosophiques.*
Rybak Boris : *Anachroniques.*
Sarraute Nathalie : *L'Ère du soupçon.*
Sartre Jean-Paul : *Baudelaire.*
Schlechta Karl : *Le Cas Nietzsche.*
Simon Émile : *Patrie de l'humain.*
Sournia Jean-Charles : *Logique et morale du diagnostic.*
Spengler Oswald : *L'Homme et la technique.*
Strauss Leo : *De la tyrannie.*
Tokei Ferenc : *Naissance de l'élégie chinoise.*
Toynbee Arnold : *Guerre et Civilisation.*
Unamuno Miguel de : *L'Essence de l'Espagne.*
Wilson Colin : *L'Homme en dehors.*
Wittgenstein Ludwig : *Le Cahier bleu et le cahier brun.*

ACHEVÉ D'IMPRIMER
LE 6 MARS 1968
IMPRIMERIE FIRMIN-DIDOT
PARIS - MESNIL - IVRY

Imprimé en France
N° d'édition : 13286
Dépôt légal : 1er trimestre 1968. — 6547